A lucidez só acontece quando você vive o presente, fazendo de cada momento um motivo para ficar no bem.

Treinar sua consciência valorizando o que é o tornará cada vez mais lúcido e abrirá as portas para um maior coeficiente de realidade.

Sua percepção se tornará mais clara, e a intuição aparecerá segura e limpa, facilitando seu desenvolvimento interior.

Essa é a melhor forma de favorecer sua evolução com menos atrito. Isso é agir com inteligência e sem sofrer.

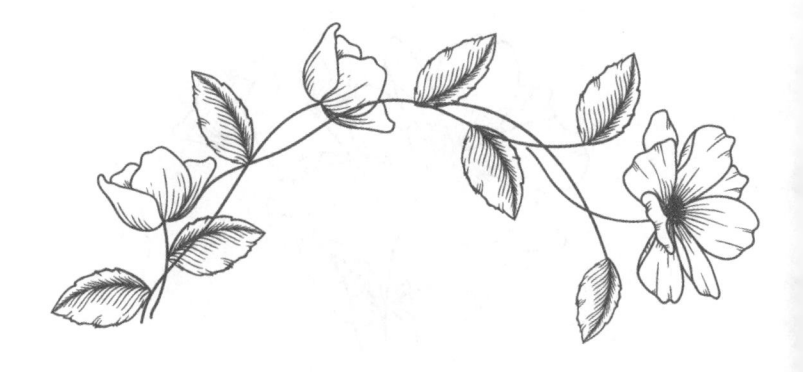

JANEIRO

O conhecimento ilustra, mas a experiência nos traz sabedoria. Quem estuda pensa que sabe; quem experimenta descobre o quanto ainda precisa aprender. Pense nisso!

1

Janeiro
S T Q Q S S D

Sabia que a crueldade pode ser uma maneira equivocada de se defender ou uma forma de chamar a atenção e conseguir um pouco de valorização? Medite também sobre como a culpa é um instrumento da vaidade.

2
Janeiro
S T Q Q S S D

Quando você experimenta sensações ruins no peito é porque as atividades no seu aparelho mental não estão em concordância com sua alma.

3

Janeiro
S T Q Q S S D

Viver é sentir a força da vida dentro de si.
É perceber a presença de Deus vibrando em sua
alma, nas pessoas e nas coisas do universo. É ter
consciência da realidade que se esconde atrás da
aparência. É ir além dos cinco sentidos
e enxergar com os olhos da alma.

4

Janeiro
S T Q Q S S D

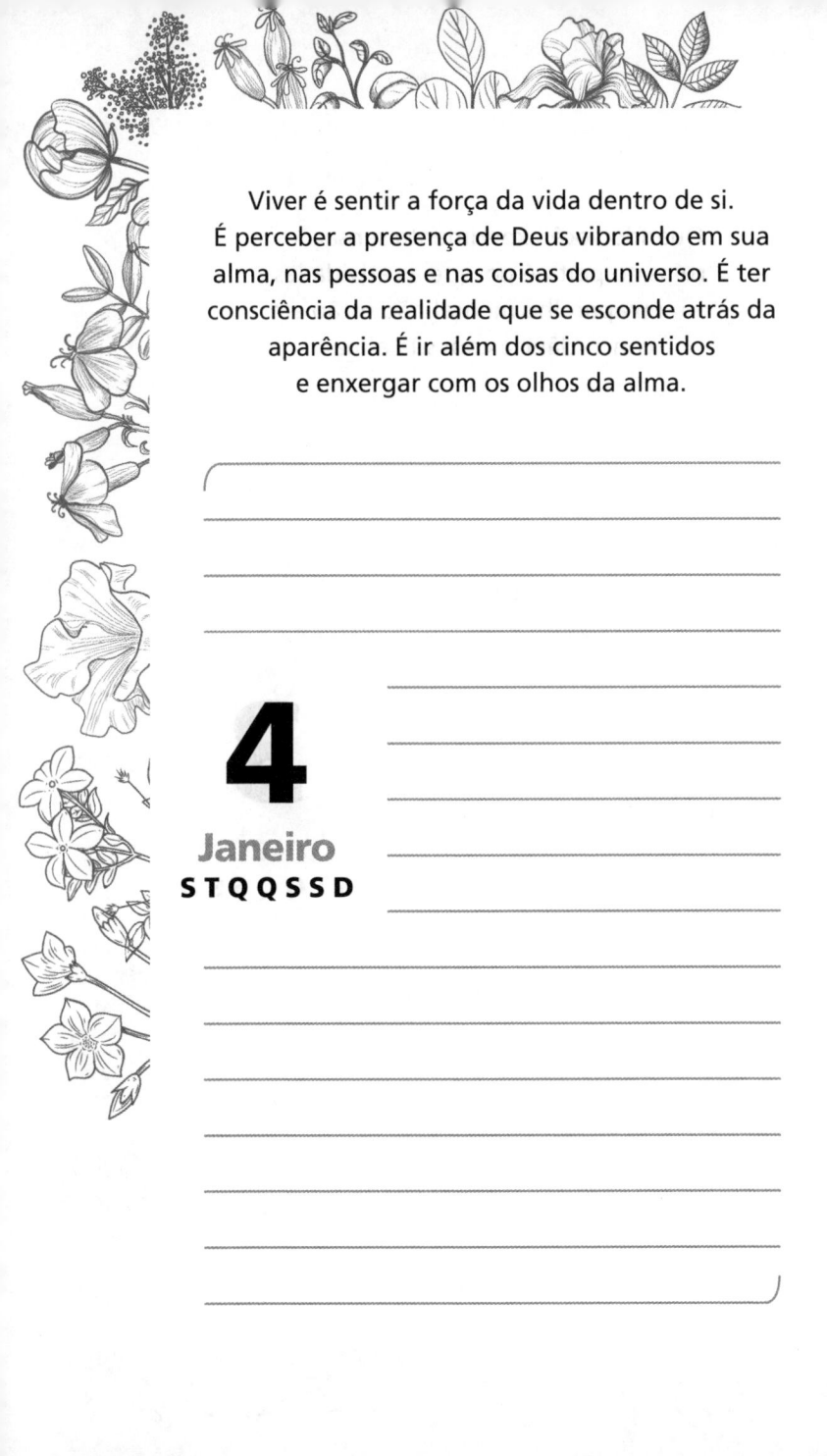

Para receber, é preciso dar primeiro. Para atrair, é preciso irradiar. Essa é a força da vida.

5

Janeiro

S T Q Q S S D

A oração nos acalma, fortalece e ajuda.

6
Janeiro
S T Q Q S S D

A crença na espiritualidade nos apoia, consola, esclarece nossas dúvidas, porém, o que move os fatos em nossa vida e os modifica são nossas crenças profundas e nossas atitudes.

7

Janeiro
S T Q Q S S D

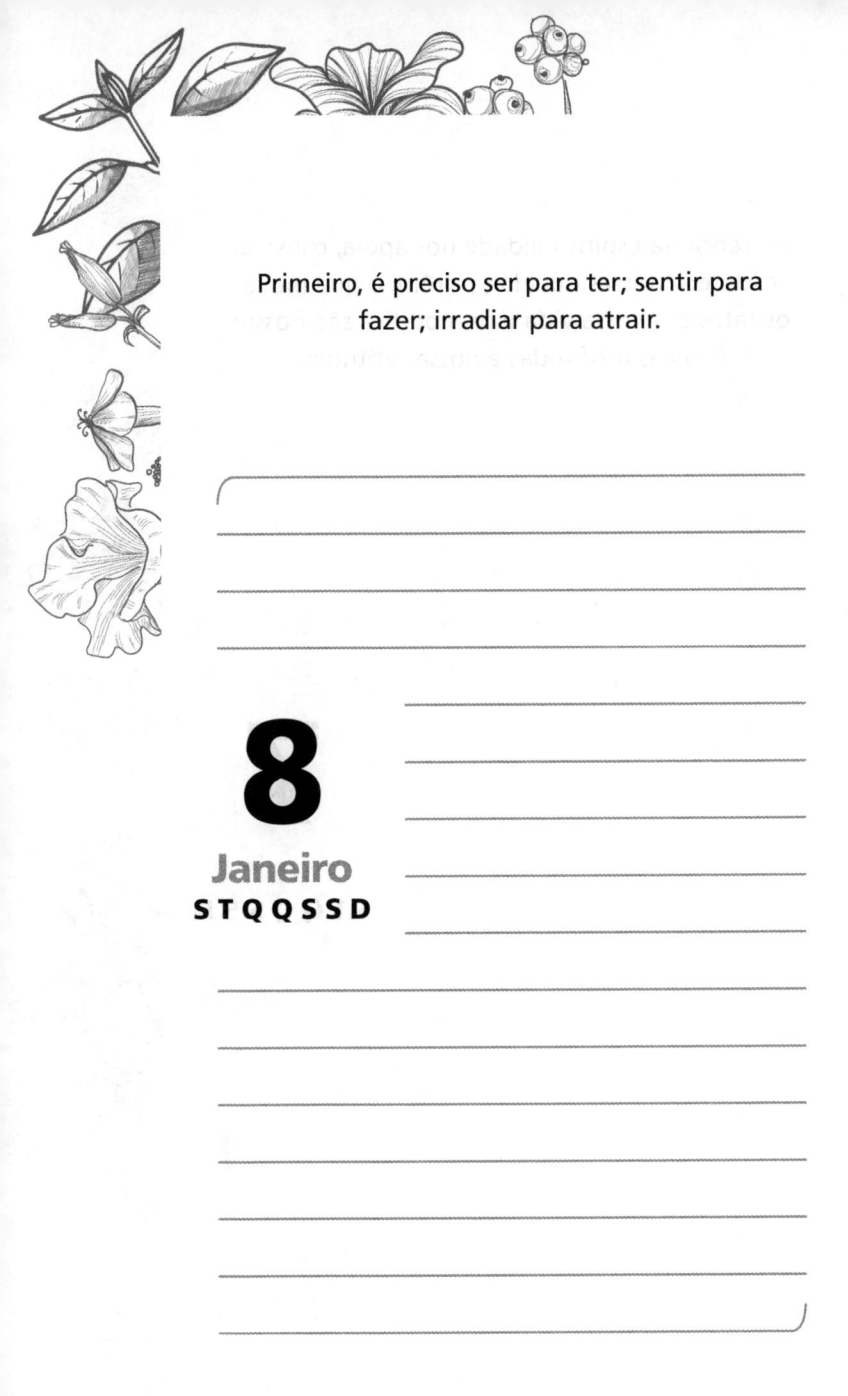

Primeiro, é preciso ser para ter; sentir para fazer; irradiar para atrair.

8
Janeiro
S T Q Q S S D

Sem perceber as verdadeiras coisas da vida, sem enxergar a luz e o bem que estão à sua disposição, como você os atrairá para sua vida? Tudo é questão de sintonia e afinidade.

9

Janeiro
S T Q Q S S D

Como ser feliz acreditando no mal? Como ser corajoso e livre temendo o futuro e a sociedade? Como desenvolver seus dons e potenciais pensando que é limitado e incapaz? Pense nisso!

10

Janeiro
S T Q Q S S D

A vida é segura. O mundo é seguro. Tudo que há no mundo é sustentado por Deus, que toma conta de tudo. Ele criou tudo. O universo é maravilhoso. Tudo é equilibrado, preciso. Por que, então, não confiarmos nisso?

11
Janeiro
S T Q Q S S D

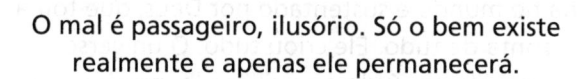

O mal é passageiro, ilusório. Só o bem existe realmente e apenas ele permanecerá.

12

Janeiro
S T Q Q S S D

Todos nós somos deuses. Deus está em nós
e age por meio de nós.

13

Janeiro
S T Q Q S S D

Eu sou único, não sou igual a ninguém.
Não sou mais nem menos que ninguém;
sou apenas diferente.

14
Janeiro
S T Q Q S S D

Minha individualidade é sagrada. Eu me respeito e me aceito do jeito que sou. O que o outro pensa de mim só interessa a ele.

15
Janeiro
S T Q Q S S D

Quando algo nos incomoda é porque não estamos enxergando a realidade. É ela quem nos liberta e nos abre portas à compreensão e à felicidade.

16
Janeiro
S T Q Q S S D

A verdade não tem idade; ela apenas é. Como saber o que é verdade? Simples! Não colocando regras nem fantasias na cabeça, pois, só assim, ela aparecerá. É só não pensar, não julgar; apenas observar.

17

Janeiro
S T Q Q S S D

Eu creio na mudança. Se você se libertar dos pensamentos tristes, se ligar com Deus por meio do coração e pensar apenas no bem, ele agirá através de você, e sua vida se transformará em felicidade e luz.

18
Janeiro
S T Q Q S S D

O grande sucesso na afetividade e nos relacionamentos é darmos a nós mesmos aquilo que queremos que os outros nos deem, como: carinho, amor, atenção, apoio, consideração, companhia etc. Assim, o padrão energético fica elevado, e atraímos pessoas de qualidade.

19

Janeiro

S T Q Q S S D

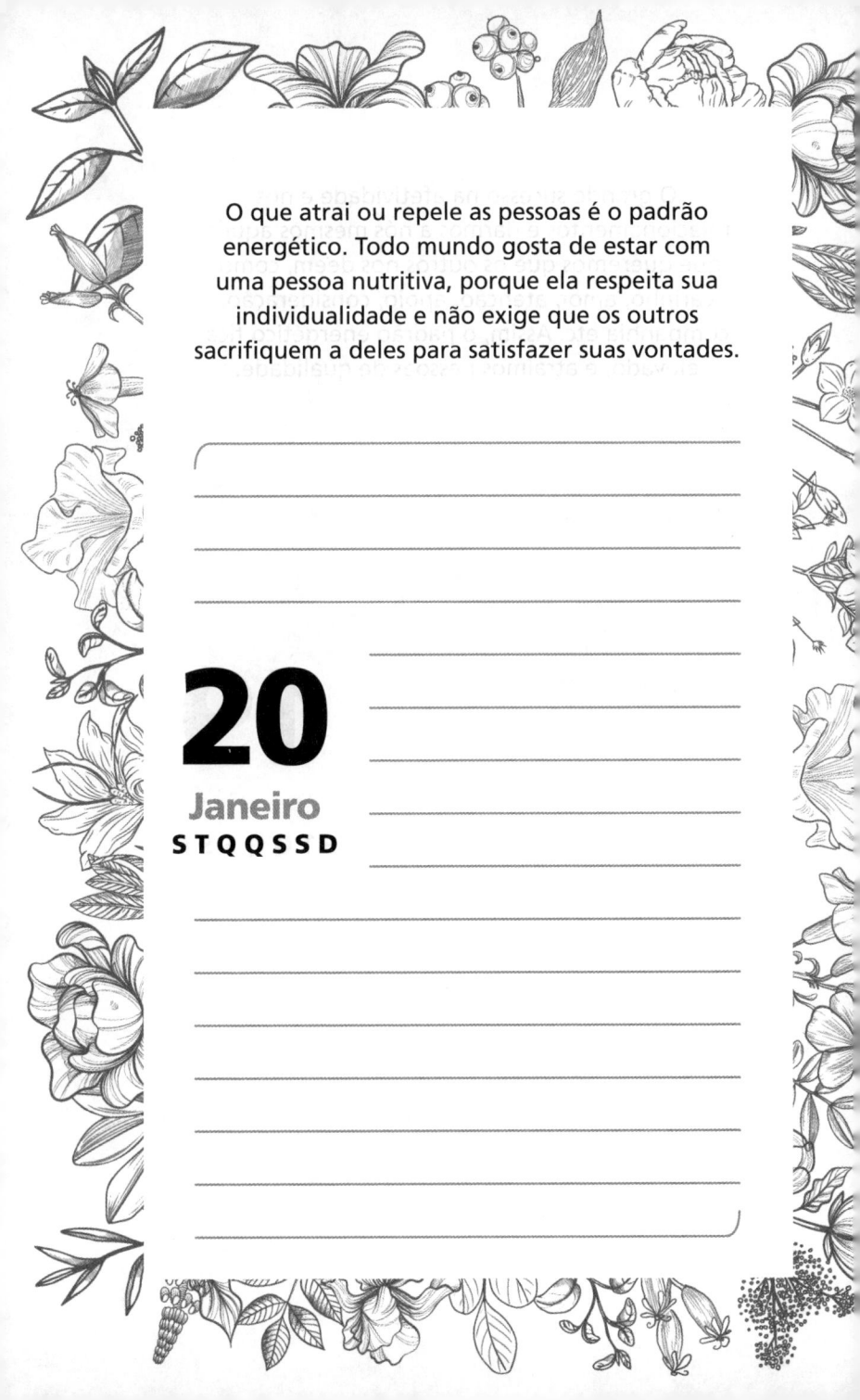

O que atrai ou repele as pessoas é o padrão energético. Todo mundo gosta de estar com uma pessoa nutritiva, porque ela respeita sua individualidade e não exige que os outros sacrifiquem a deles para satisfazer suas vontades.

20
Janeiro
S T Q Q S S D

Não há sorte, não há azar, não há coincidência, não há acaso. O que existe é a individualidade e como cada um está lidando com ela.

21

Janeiro
S T Q Q S S D

Partindo do princípio de que Deus não erra, percebemos que, se alguém está sofrendo e atraindo problemas e dor, isso acontece porque essa pessoa já poderia agir de maneira melhor, mas não o faz.

22

Janeiro
S T Q Q S S D

O mundo está cheio de pessoas que,
a pretexto de ajudarem os outros, invadem
a vida alheia, se metem onde não deveriam
e acabam prejudicando o próximo. O conceito
de ajuda é muito mal compreendido, pois onde
muitos acreditam ver o bem, só há vaidade,
manipulação e interesse.

23

Janeiro
S T Q Q S S D

Nós somos uma alma desenvolvendo a consciência, que está ligada diretamente com Deus. É por meio da alma que Ele nos dá os recados, mostrando-nos se estamos sendo verdadeiros ou não; se estamos agindo de forma a ajudar esse desenvolvimento ou se estamos nos perdendo em ilusões e atraindo a dor.

24
Janeiro
S T Q Q S S D

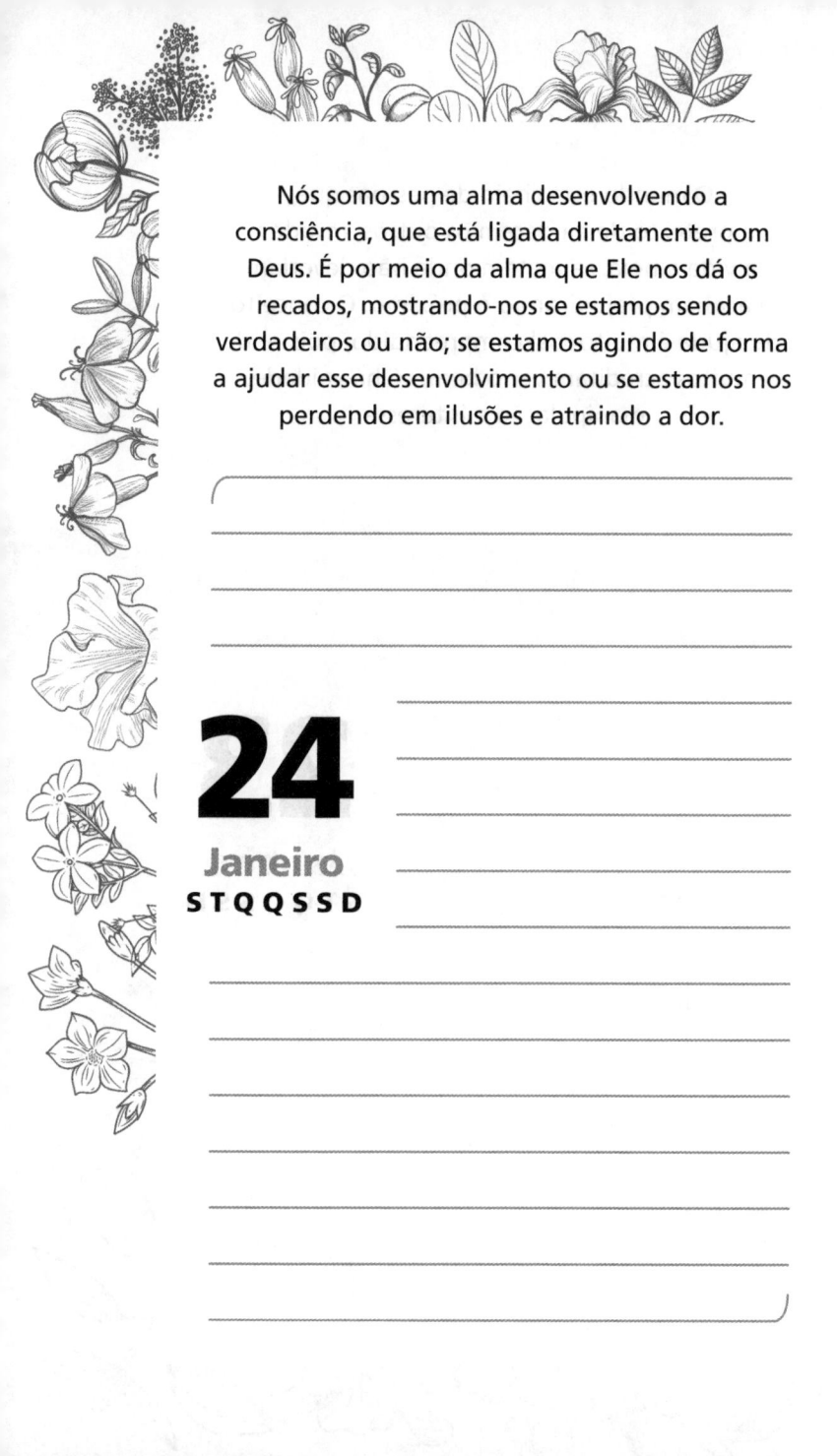

A vida trabalha pelo bem de todos. Na cura,
o merecimento é do doente. Só os que
modificam as atitudes causadoras são curados.

25

Janeiro
S T Q Q S S D

A serenidade é conquista de quem conhece a verdade das coisas e não se deixa impressionar pelo que os outros fazem.

26
Janeiro
S T Q Q S S D

Se tudo muda, a memória é uma ilusão.
O que você guardou de ruim ou de bom da infância não conta mais nada, a não ser que você fique alimentando aquilo com lamento, pois aí conta para pior.

27
Janeiro
S T Q Q S S D

Mande tudo para a lixeira e delete o que não lhe serve mais. Esvazie a memória para dar espaço ao novo. É preciso seguir em frente, evoluir.

28
Janeiro
S T Q Q S S D

É preciso ficar atento aos sinais que a vida lhe dá. Para segui-los, não julgue ninguém, mantenha-se aberto aos acontecimentos e olhe os fatos sempre pelo lado positivo.

29
Janeiro
S T Q Q S S D

Para trabalhar a favor da vida, é indispensável acreditar que ela sempre faz o melhor, visando ao progresso de todos.

30

Janeiro
S T Q Q S S D

É preciso viver no mundo, mas, acima de tudo, usar as experiências do mundo para amadurecer o espírito e tornar-se mais espiritualizado.

31

Janeiro
S T Q Q S S D

FEVEREIRO

Cuidado! A culpa é tão perigosa quanto a omissão. Por causa dela, você pode ceder às fraquezas dos outros, atendendo a tudo que pedirem.

1

Fevereiro
S T Q Q S S D

Amar uma pessoa como ela é não nos impede de perceber seus pontos fracos. A ajuda que alguém pode dar ao outro será sempre apoiar os pontos positivos e nunca ceder às fraquezas. O amadurecimento demanda tempo, por isso não espere nada das pessoas. Contente-se em conquistar o próprio progresso.

2
Fevereiro
S T Q Q S S D

Quem se arrepende aprende com os erros,
não fica se culpando por não ter feito tudo certo
e cuida para não errar de novo.

3

Fevereiro
S T Q Q S S D

Para se ligar com a luz, basta ter alegria no coração, sinceridade no propósito, respeito às diferenças, disposição para fazer o melhor e ficar no bem. Esse é o caminho do equilíbrio espiritual e o segredo da boa saúde e da longevidade.

4
Fevereiro
S T Q Q S S D

Quando você tem afetividade, seu padrão energético se torna melhor, melhora o fluxo e atrai pessoas afetivas. A vida nos trata como nos tratamos.

5

Fevereiro
S T Q Q S S D

O grande segredo do sucesso na afetividade
é darmos a nós mesmos aquilo que queremos
que os outros nos deem.

6

Fevereiro
S T Q Q S S D

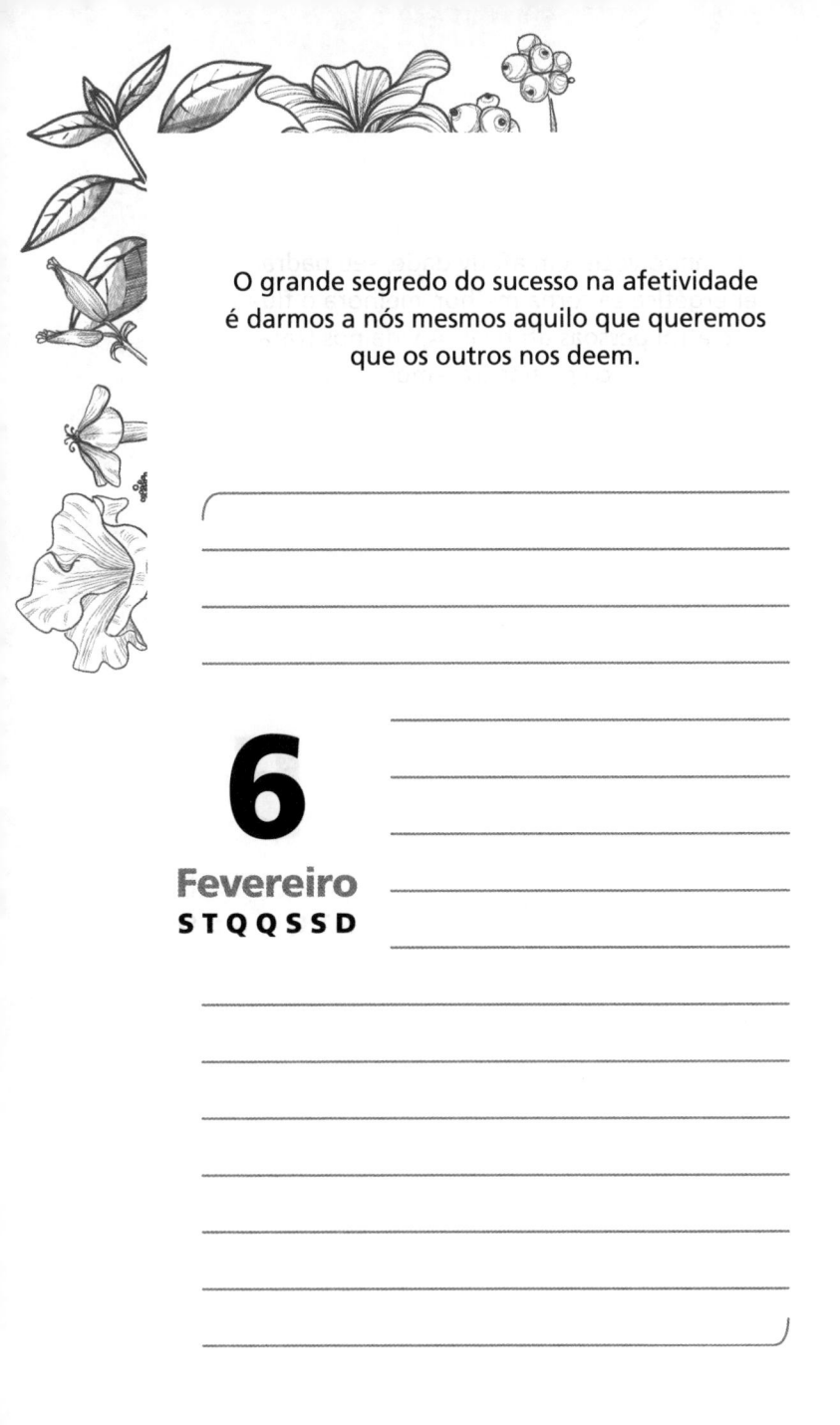

Cada vez que você se diminui, desvaloriza seu criador. Lembre-se de que Deus está em tudo, está dentro de você e de todas as pessoas. Tudo é Deus!

7
Fevereiro
S T Q Q S S D

Deus é a bondade perfeita. Por que, então, Ele nos destinaria à dor? Nosso destino é a beleza, a luz, o amor. Entregue a Deus o que não pode mudar. Escolha a alegria, confie na vida e acredite no bem.

8
Fevereiro
S T Q Q S S D

Seja feliz, faça seu melhor e peça em suas orações para enxergar a verdade. É só o que precisa fazer. Não se torture com o que não pode mudar.

9

Fevereiro
S T Q Q S S D

Seja o ponto de luz dentro do seu lar. Leve a alegria e o amor para aqueles que você ama.

10
Fevereiro
S T Q Q S S D

A vida é amor e oferece formas diversas de desenvolvimento da consciência do ser humano, sem que ele precise sofrer.

11

Fevereiro
S T Q Q S S D

A cura do corpo, quando oportuna, poderia ser feita pelos nossos mentores sem o concurso de um médium. No entanto, eles utilizam esse recurso para despertar a fé nas pessoas para que elas comecem a pensar na espiritualidade.

12
Fevereiro
S T Q Q S S D

Os espíritos trabalham para despertar
as pessoas para que elas percebam e aproveitem
as oportunidades de aprender sem dor, de fazer
as coisas de maneira adequada para conseguir
bons resultados e conquistar a alegria,
o amor, a paz e a felicidade.

13

Fevereiro
S T Q Q S S D

O progresso é para todos. Deus é amor e deseja nossa felicidade, mas quer que sejamos lúcidos e que nossa consciência se desenvolva.

14
Fevereiro
S T Q Q S S D

Para evoluir, nós temos toda a eternidade pela frente.

15
Fevereiro
S T Q Q S S D

Somos os responsáveis por tudo o que nos acontece e, com nossas atitudes, os responsáveis por atrair o bem e o mal.

16
Fevereiro
S T Q Q S S D

Tudo na vida sou eu que faço!

17
Fevereiro
S T Q Q S S D

Nossa liberdade só é adquirida por meio do conhecimento, que nos traz lucidez. Com o esclarecimento, a escuridão sai. Se soubermos lidar com as coisas, conseguiremos andar.

18
Fevereiro
S T Q Q S S D

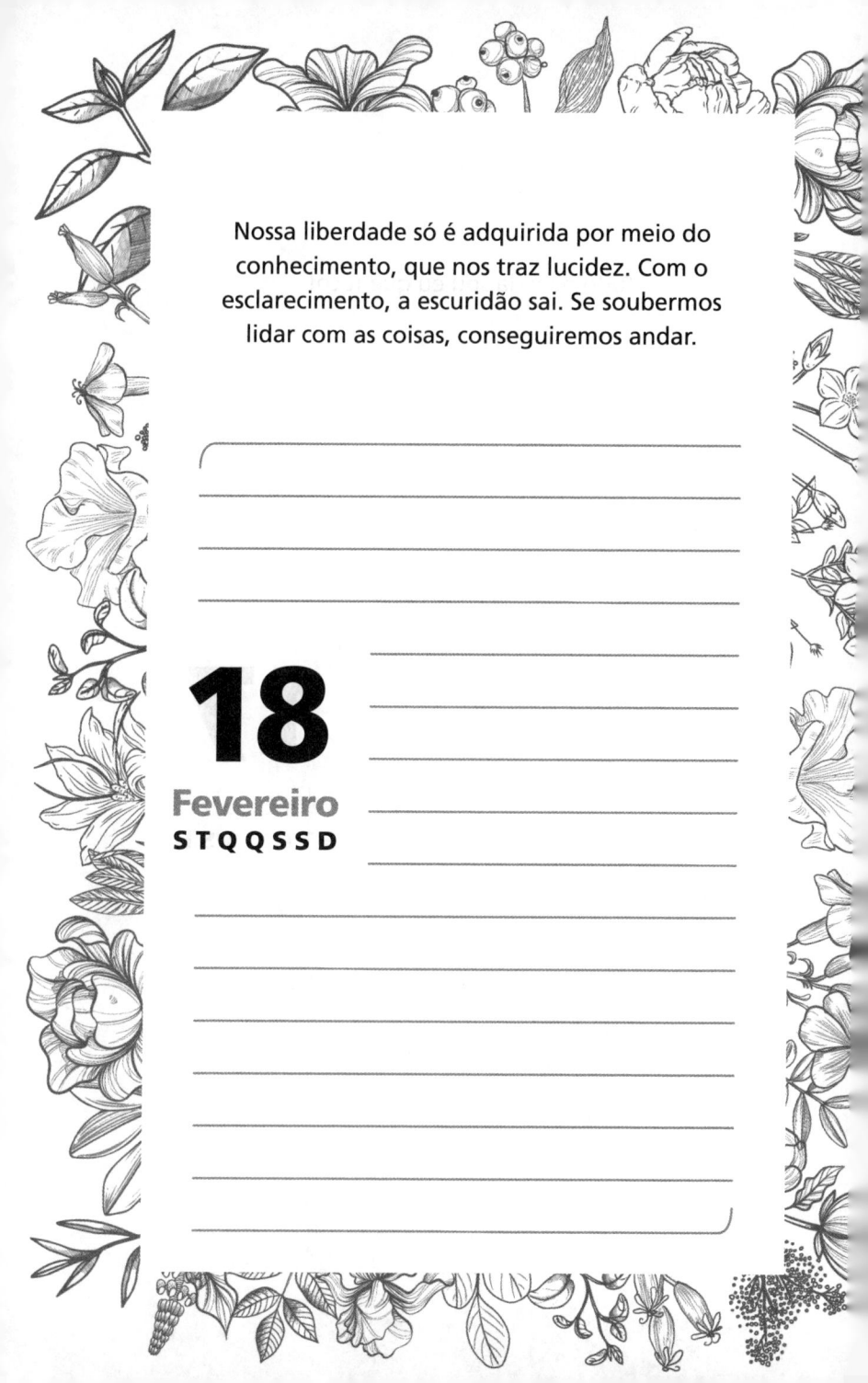

Onde há saber, conhecimento e esclarecimento não há dor. Toda dor é fruto da ignorância e das trevas, onde não há luz. Quanto mais conhecimento temos da vida, mais temos liberdade, poder e progresso.

19

Fevereiro
S T Q Q S S D

Nós apenas somos o que sabemos. Somos prisioneiros da ignorância e livres no saber.

20

Fevereiro

S T Q Q S S D

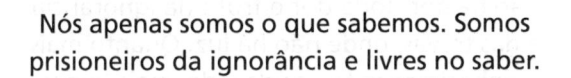

O grau de influências negativas nas pessoas mais velhas pode impressioná-las e fazê-las acreditar que estão ficando senis, mas elas estão apenas alimentando seus medos por acreditarem que a velhice lhes reduz a lucidez. Essa é uma ilusão, e é preciso ter firmeza e acreditar na força do bem e na lucidez do espírito.

21
Fevereiro
S T Q Q S S D

Quando você reage, dá forças para as energias positivas do universo que querem o seu progresso.

22
Fevereiro
S T Q Q S S D

Todas as vezes em que notar um pensamento crítico, que deprecia fatos, pessoas e coisas, procure focalizar o bem que há nele. É um treinamento muito indicado para o controle mental.

23
Fevereiro
S T Q Q S S D

Por mais dolorosa, cruel, odiosa e trágica que uma situação lhe pareça, você acabará descobrindo que, apesar das aparências, nela só existe o bem.

24
Fevereiro
S T Q Q S S D

As pessoas são imaturas, abusam, escolhem mal, têm atitudes inadequadas, por isso, colhem resultados desagradáveis. Contudo, a vida tem seus caminhos e consegue transformar esses resultados em experiências produtivas para a alma, fazendo o espírito amadurecer.

25
Fevereiro
S T Q Q S S D

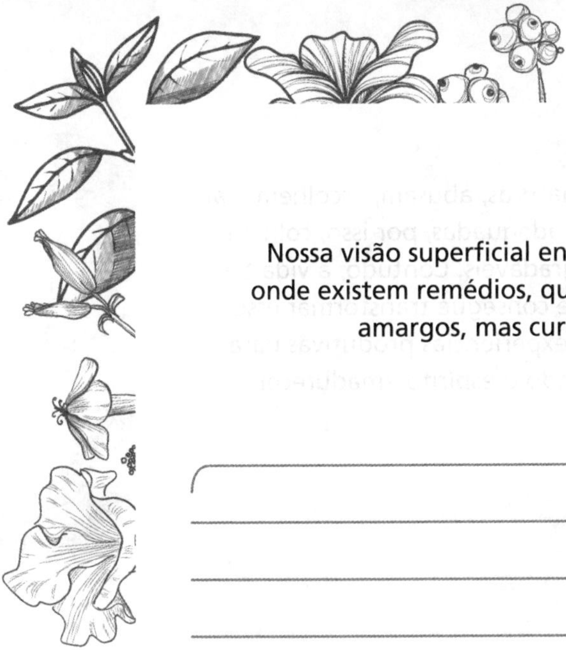

Nossa visão superficial enxerga erros onde existem remédios, que podem ser amargos, mas curam.

26
Fevereiro
S T Q Q S S D

Acredite que Deus não castiga ninguém.
Cada erro tem um preço que as pessoas pagam
para aprender. Quando aprendem, amadurecem
e erram menos. Isso é progresso; e progresso
é lei da vida.

27

Fevereiro
S T Q Q S S D

Muitas pessoas acabam se punindo, criando sofrimentos inúteis e evitáveis, pois pensam que, assim, estão "pagando" por seus erros, mas não estão.

28

Fevereiro
S T Q Q S S D

A serenidade é fruto de um trabalho interior constante.

29
Fevereiro
S T Q Q S S D

MARÇO

É preciso confiar na vida e conhecer
a espiritualidade.

1

Março
S T Q Q S S D

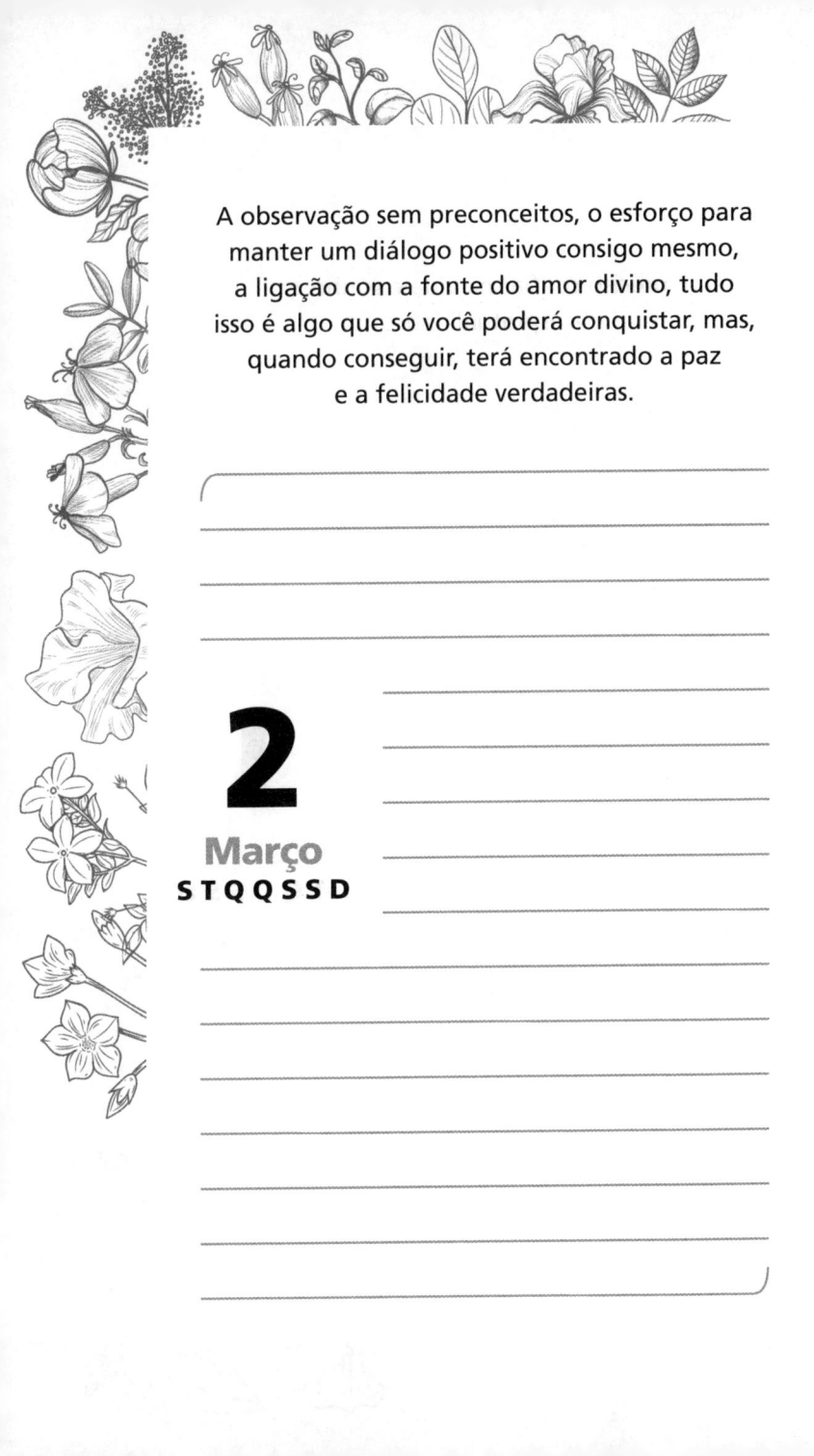

A observação sem preconceitos, o esforço para manter um diálogo positivo consigo mesmo, a ligação com a fonte do amor divino, tudo isso é algo que só você poderá conquistar, mas, quando conseguir, terá encontrado a paz e a felicidade verdadeiras.

2
Março
S T Q Q S S D

A verdadeira missão de cada um é cuidar
do próprio desenvolvimento interior, aperfeiçoar
a lucidez e aprender como a vida funciona.

3
Março
S T Q Q S S D

A vida guarda a sabedoria do equilíbrio e nada acontece sem uma razão justa.

4
Março
S T Q Q S S D

O segredo da felicidade é escolher a comédia
e largar o drama.

5

Março
S T Q Q S S D

O amadurecimento demanda tempo, por isso, não espere nada das pessoas e contente-se em conquistar seu progresso.

6
Março
S T Q Q S S D

Nós, que desejamos conhecer a verdade
e confiamos na vida, não podemos nos
prender a ilusões.

7

Março
S T Q Q S S D

Pressionados pelas regras sociais, colocamos diversas máscaras conforme as conveniências, mas, um dia, chegamos à conclusão de que elas apenas nos levam à infelicidade.

8

Março
S T Q Q S S D

Chega de querermos parecer isto ou aquilo.
Somos o que somos. Negar nossas qualidades
é jogar fora todas as nossas conquistas.

9

Março
S T Q Q S S D

É preciso conhecer nossos pontos fracos, e ter paciência diante dos nossos limites. A aprendizagem é o objetivo da vida, porém, ela é gradativa, e cada um a realiza em seu ritmo.

10
Março
S T Q Q S S D

A impaciência e a intolerância criam grandes obstáculos ao amadurecimento.

11

Março
S T Q Q S S D

Se você não desenvolver suas habilidades, o máximo que conseguirá é uma satisfação esporádica e passageira. A felicidade depende totalmente de sua mente.

12
Março
S T Q Q S S D

Se você não tiver uma cabeça legal, não será feliz, pois a felicidade é um estado que a alma produz a partir de determinados pensamentos chamados de atividades mentais.

13

Março
S T Q Q S S D

A alma sente, o aparelho mental pensa. A alma responde de acordo com a ação da mente. Se sua cabeça for boa para sua alma, você experimentará uma sensação de felicidade e se sentirá feliz por qualquer coisa, então, a felicidade será permanente em sua vida.

14
Março
S T Q Q S S D

Você está sempre insatisfeito? A infelicidade é uma doença mental que precisa ser tratada, uma vez que necessitamos de uma mente sã.

15
Março
S T Q Q S S D

Há dois níveis de satisfação: a pequena, que é superficial, e a grande, que é profunda e duradoura. E essa última é a que chamamos de felicidade. Nesse nível, a satisfação tem uma denominação muito especial: realização.

16

Março
S T Q Q S S D

O sim e o não, ditos de forma direta e com sinceridade, valorizam suas atitudes e mostram o que você é.

17

Março
S T Q Q S S D

Só o que é verdadeiro atrai respeito, confiança e amizade.

18

Março
S T Q Q S S D

Ao relacionar-se com os outros, a conquista da sua paz só acontecerá quando você for capaz de expressar o que sente, dosando o sim e o não de forma adequada, com naturalidade, sendo sincero e negando-se a fazer coisas que não deseja e que apenas satisfazem os outros.

19
Março
S T Q Q S S D

Os espíritos sugerem que cada um de nós estude as leis divinas, fique atento e perceba como elas agem acelerando as mudanças de comportamento.

20
Março
S T Q Q S S D

As ilusões hipnotizam e deformam a visão. Só o desenvolvimento pleno da realidade pode mostrar a grandeza da vida e fazer o espírito se fortalecer. Tenha coragem para se libertar e enfrentar os desafios do amadurecimento.

21
Março
S T Q Q S S D

A alma tem todos os sensos que dão significado à vida. Esse imenso potencial do espírito humano manifesta-se por meio do desenvolvimento da consciência, que se processa nas vivências do dia a dia.

22

Março
S T Q Q S S D

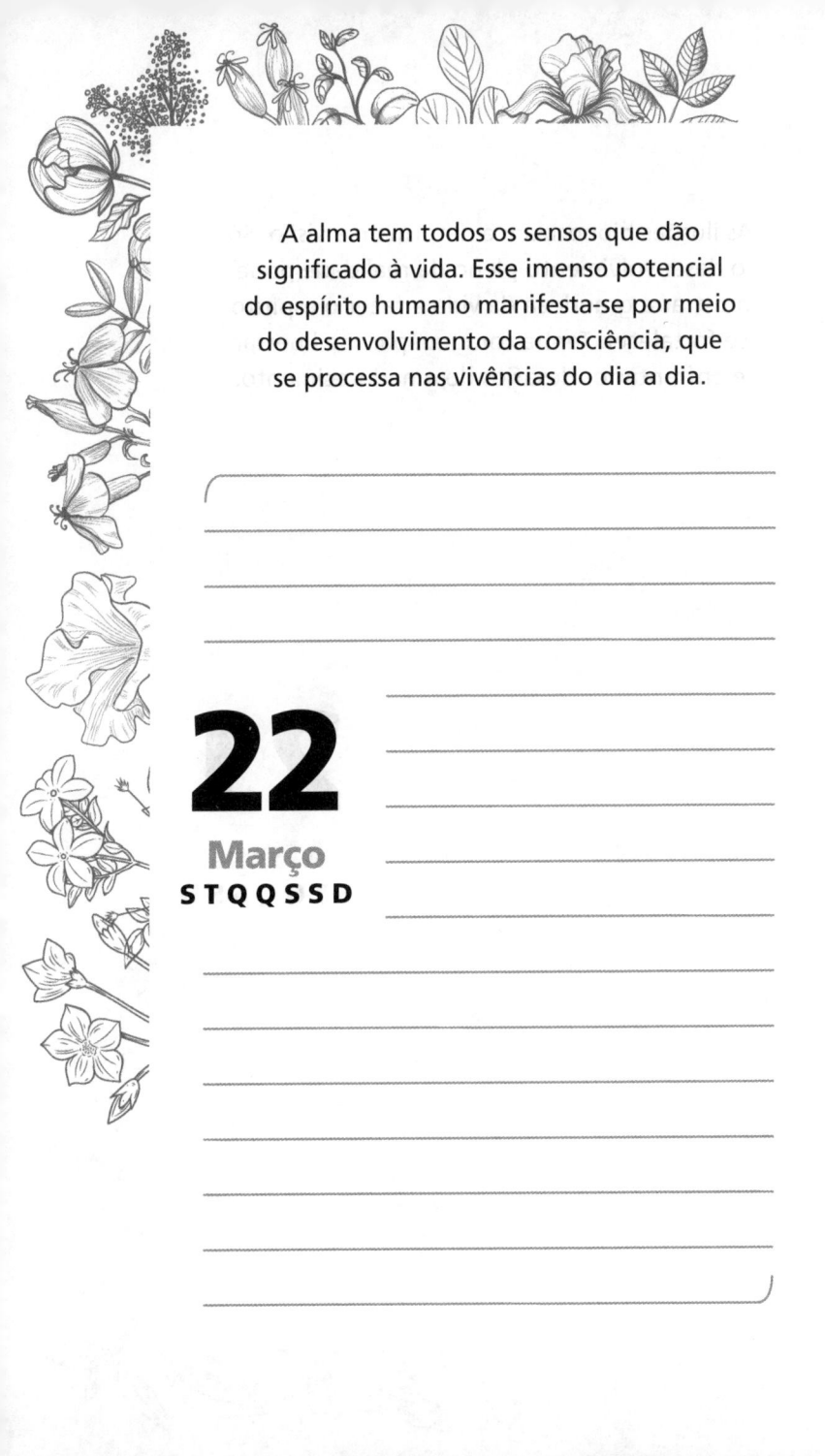

Ao descobrir a grandeza da vida, o homem sente-se mais forte e com coragem para enfrentar seus desafios e vencê-los.

23
Março
S T Q Q S S D

É através da alma que a luz se manifesta, o amor incondicional se expressa, atinge a sublimação e contribui para melhorar o mundo. Essa é a chave para que cada um encontre todo o apoio necessário para obter sucesso nesse empreendimento.

24

Março
S T Q Q S S D

Coloque-se em primeiro lugar e valorize a vida.
Deus nos deu tudo, cuida das coisas com precisão
e nos ensina como viver melhor.

25
Março
S T Q Q S S D

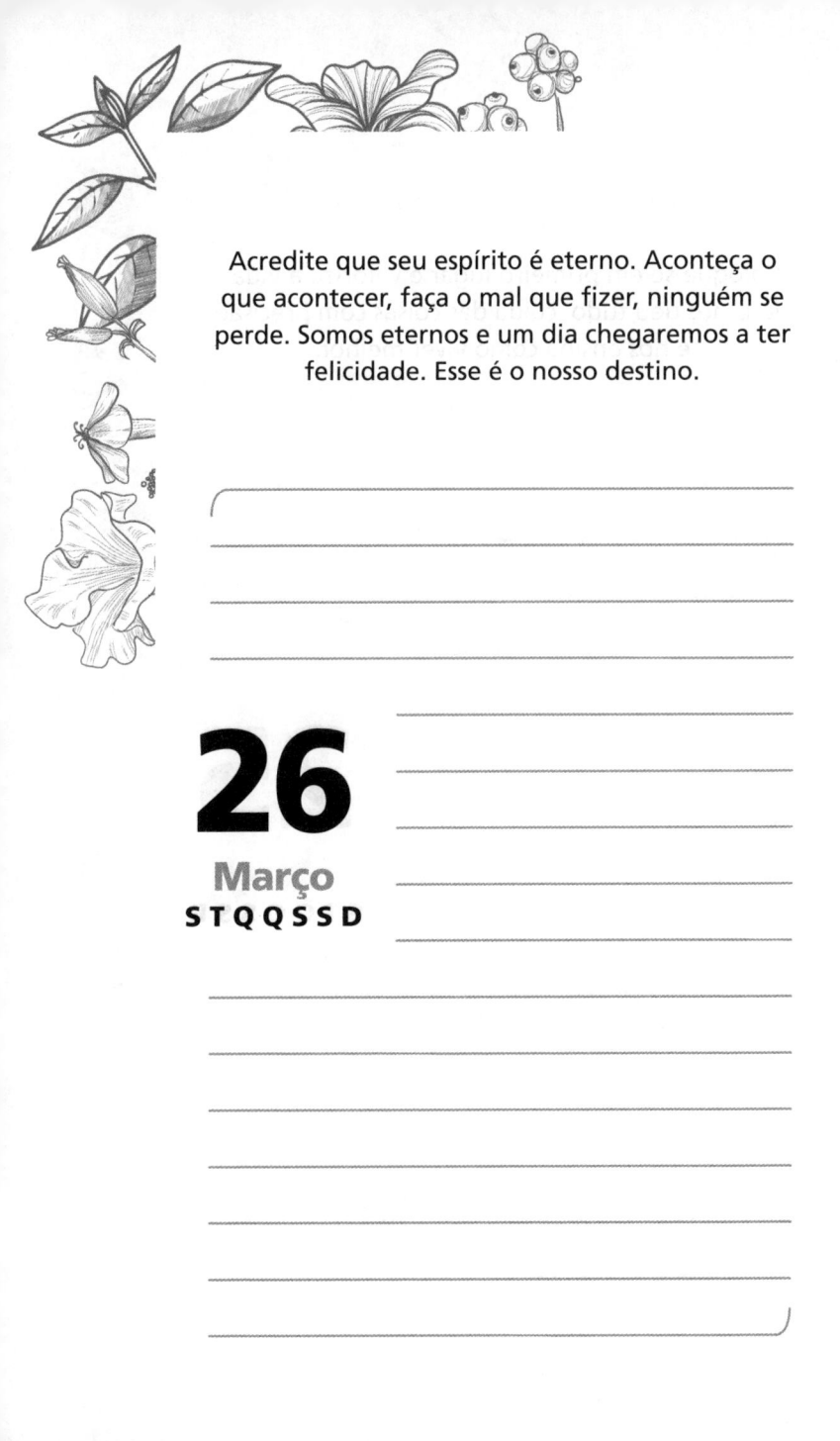

Acredite que seu espírito é eterno. Aconteça o que acontecer, faça o mal que fizer, ninguém se perde. Somos eternos e um dia chegaremos a ter felicidade. Esse é o nosso destino.

26

Março
S T Q Q S S D

O espírito veio para dominar a matéria, e, para dominá-la, é preciso possuí-la e experenciá-la.

27
Março
S T Q Q S S D

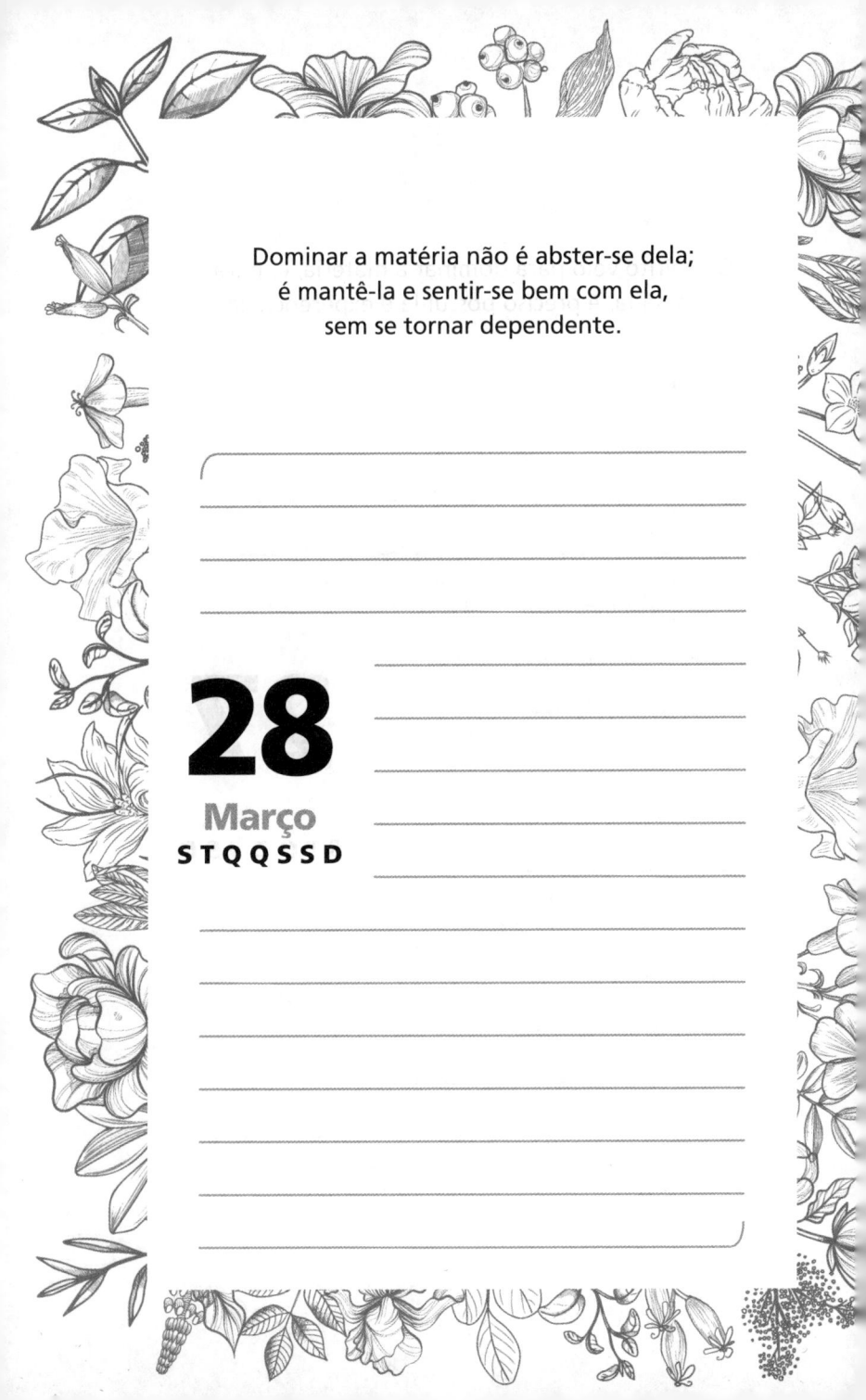

Dominar a matéria não é abster-se dela;
é mantê-la e sentir-se bem com ela,
sem se tornar dependente.

28

Março
S T Q Q S S D

É sucesso espiritual ter bens materiais. Por intermédio da matéria, nosso espírito se realiza. É assim hoje e por toda a eternidade.

29
Março
S T Q Q S S D

As virtudes são mais bem desenvolvidas no cotidiano daqueles que lidam com pessoas, com coisas e fatos ao seu redor.

30

Março
S T Q Q S S D

É ótimo ter ambição por dinheiro e por posses materiais, pois o espírito evolui quando domina a matéria.

31
Março
S T Q Q S S D

ABRIL

A função do espírito é dominar a matéria.
É no exercício diário da prática mundana que
ele se desenvolve, dominando-a paulatinamente.
Dessa forma, aqueles que se afastam desse
conviver social emperram o desenvolvimento
do seu poder espiritual.

1
Abril
S T Q Q S S D

Assuma as próprias atitudes, coloque-se em primeiro lugar, cumpra suas responsabilidades, faça seu melhor, coopere com a melhoria da sociedade e, assim, devolva ao mundo todo o bem que essa encarnação está lhe proporcionando.

2
Abril
S T Q Q S S D

O melhor lugar do universo para você se desenvolver é onde se encontra agora. Qualquer outro lugar é mera fantasia.

3
Abril
S T Q Q S S D

Para ser feliz, é preciso ter uma cabeça boa para lidar com as conquistas. Você é feliz com as coisas que tem? Ah, está esperando adquirir outras coisas ou resolver determinadas situações em sua vida para sentir-se realizado? Sinto muito, mas você nunca será feliz assim, porque não tem uma cabeça boa.

4

Abril
S T Q Q S S D

A hora de ser feliz é agora! Então, seu caminho se abrirá para novas conquistas de forma satisfatória e naturalmente realizadora.

5
Abril
S T Q Q S S D

À medida que você desenvolve a habilidade de ser feliz hoje com as coisas que tem, mais conquistas virão, cada vez mais facilmente, e mais realizações você experimentará.

6

Abril
S T Q Q S S D

De que vale um jardim de rosas, se você não tiver uma cabeça legal para perceber a beleza de apenas uma? Desenvolva a sabedoria de saborear com a alma as coisas que você tem.

7

Abril
S T Q Q S S D

A alma é a única capaz de sentir a realização e de sentir, à maneira dela, todas as coisas. É a alma que dá sentido a tudo, ao seu modo, pois é perfeita.

8
Abril
S T Q Q S S D

Se a pessoa não souber apreciar o que tem, estará fadada ao tédio e à depressão, porque quem não aprecia com a alma sofre ou sofrerá desses males. Apreciar com a alma traz alegria, sabor de viver.

9
Abril
S T Q Q S S D

Enquanto nos iludimos e nos emaranhamos no passado, não percebemos o quanto poderíamos ser felizes agora, no momento presente.

10

Abril
S T Q Q S S D

A felicidade é conquista de cada minuto. Lúcida, nossa alma sente cada coisa, cada instante, e sabe perceber a grandeza e a beleza para conservar esse estado, viver o presente e buscar alegria, luz, dignidade e amor. A vida nos oferece tudo isso o tempo todo. É preciso irradiar, sentir e escolher para conquistar.

11

Abril
S T Q Q S S D

Tudo o que você possui precisa de cuidado, senão, é melhor não ter nada. É assim com todas as conquistas em todas as áreas de sua vida.

12
Abril
S T Q Q S S D

Tudo o que se expressa por meio de você passa necessariamente pelo crivo do aparelho mental, e a alma reage de acordo com a mente. Se cultivar bons pensamentos, sua alma ficará feliz. Se você se deixar levar por maus pensamentos, não produzirá felicidade.

13

Abril
S T Q Q S S D

Faça um teste agora. Ligue-se com aquela pessoa no seu peito e pense em uma coisa muito boa. Imediatamente, você sentirá a expansão da alma. A felicidade mora lá, mas a mente precisa induzi-la.

14

Abril
S T Q Q S S D

Uma cabeça boa produz bons pensamentos, que provocam na alma realizações felizes. Cabeça ruim produz maus pensamentos, que provocam na alma sensações infelizes.

15

Abril
S T Q Q S S D

Nós não temos nenhum poder sem Deus,
pois Ele comanda tudo no Universo.

16

Abril
S T Q Q S S D

A vida é cheia de graças e de coisas boas.
O sol, a chuva, a saúde, o corpo, os alimentos,
os amigos, a família, tudo é Deus quem dá.
Ele sabe do que precisamos. Deus não erra.

17

Abril
S T Q Q S S D

Por mais que as coisas estejam ruins, que não possamos entender o que Deus quer, tudo está certo e do jeito certo. Ele espera o momento adequado para nos mostrar o que ainda precisamos aprender e entender como a vida funciona, fazendo-nos evoluir.

18
Abril
S T Q Q S S D

A fidelidade não está só em resistir às tentações; está também em ser verdadeiro e viver de acordo com suas necessidades espirituais.

19
Abril
S T Q Q S S D

A alma é a essência divina dentro de cada pessoa e só age no bem.

20
Abril
S T Q Q S S D

Só é verdadeiramente aceito quem é forte, quem expressa sua essência divina e quem obedece à voz de sua alma.

21
Abril
S T Q Q S S D

A alma foi criada à semelhança de Deus, é perfeita, mas não tem consciência dessa perfeição. Esse é um trabalho que cada um precisa fazer por meio do próprio esforço, vivenciando experiências e colhendo os resultados decorrentes de suas atividades e crenças.

22
Abril
S T Q Q S S D

A justiça divina é perfeita e imparcial. A impunidade do mal é momentânea. Conforme o grau de conhecimento espiritual do indivíduo, a vida determina os resultados de suas atitudes. Todos, sem exceção, atrairão pessoas e experiências de acordo com o que fizeram.

23

Abril
S T Q Q S S D

Tire essas ideias de crime e castigo da cabeça para não acabar se punindo depois. Se alguma coisa não deu certo, não se culpe. Você fez o que lhe pareceu o melhor naquele momento. O resultado não foi bom, você não gostou? Procure agir de outra forma da próxima vez.

24
Abril
S T Q Q S S D

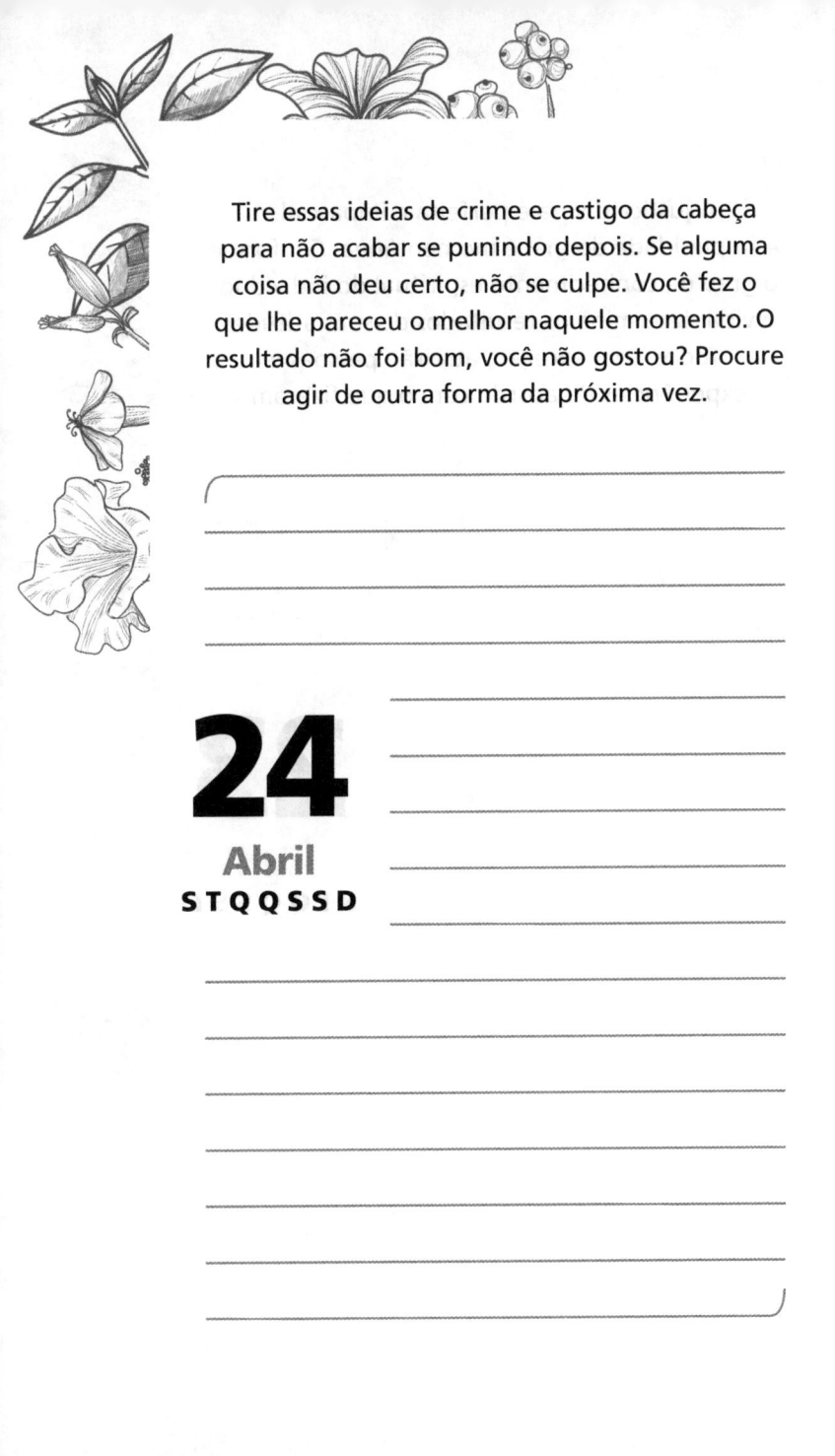

A realização é um sentimento de completude. A sensação que ela provoca é de um sentir-se maior, de se expandir, pois o espírito, quando se realiza por meio da gente, aumenta de tamanho, sente-se mais forte e vem para o mundo da consciência e da realidade.

25
Abril
S T Q Q S S D

Quanto mais você se cuidar para evoluir, trabalhar no bem, abrir a consciência, se ligar com a alma — que tem todos os sensos —, estudar as leis que regem a vida e evoluir, melhor se tornará a cada dia. Realizar-se é espiritualizar-se.

26
Abril
S T Q Q S S D

Valorizar-se, assumir o poder do seu espírito, colocar-se em primeiro lugar e trabalhar para o próprio progresso é vital. Abrir a consciência, ligar-se com a alma, ser positivo, acreditar no melhor e confiar na vida, tudo isso é o que cada espírito terá de fazer para obter progresso e evoluir.

27

Abril
S T Q Q S S D

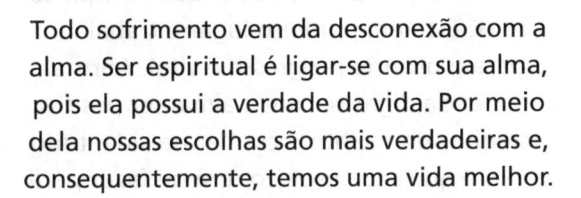

Todo sofrimento vem da desconexão com a alma. Ser espiritual é ligar-se com sua alma, pois ela possui a verdade da vida. Por meio dela nossas escolhas são mais verdadeiras e, consequentemente, temos uma vida melhor.

28
Abril
S T Q Q S S D

É preciso compreender a forma de ser de cada um. Cada pessoa está na faixa de entendimento que lhe é própria. Está tudo certo e de acordo com o que Deus fez.

29
Abril
S T Q Q S S D

A alma é o paraíso dos nossos sentidos.

30
Abril
S T Q Q S S D

Pensar no melhor é viver melhor.
Alimentar a alegria é tornar-se leve e ágil.
O tempo acontece hoje, agora. É só o que existe.
Cultivar a alegria é ser feliz.
Nada melhor do que sorrir para atrair a alegria.
Essa é a maior cura.

MAIO

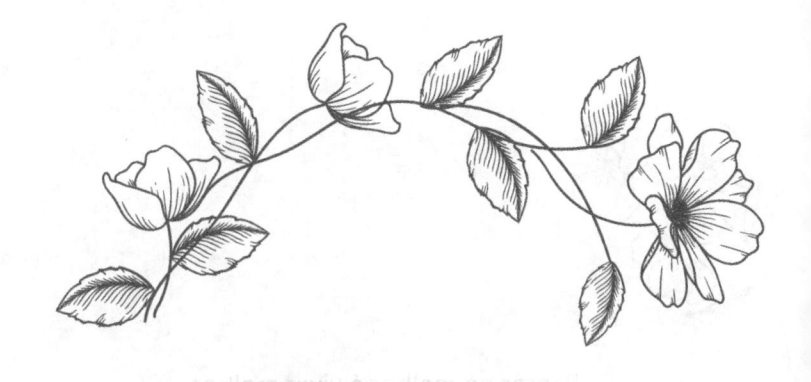

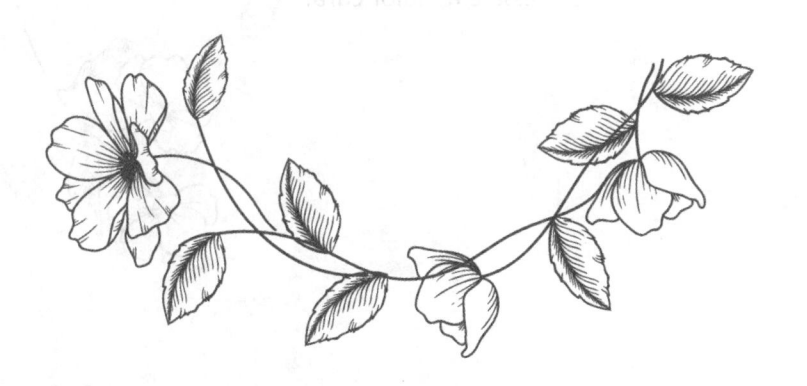

O sofrimento é pano de fundo para que o bem seja notado. A natureza ensina isso. Basta olhar para tudo de extraordinário que Deus colocou no mundo.

1

Maio
S T Q Q S S D

O mal só existe para nos levar ao bem. Quando já estivermos nele, não haverá mais necessidade de sofrermos, pois já teremos experimentado muito este lado. Agora, se quisermos, poderemos vencê-lo para sempre, alegrando nossa alma e libertando nosso espírito.

2
Maio
S T Q Q S S D

A transformação do mundo em um lugar onde não haja sofrimento só acontecerá quando as pessoas se tornarem positivas e eliminarem o negativismo. O mal é apenas ilusão. Não se sustenta e não se mantém.

3
Maio
S T Q Q S S D

O amor incondicional fortalece os laços entre as pessoas, iluminando-lhes a alma.

4
Maio
S T Q Q S S D

A mediunidade abre as portas da espiritualidade, derrotando a morte e nos mostrando que somos eternos.

5

Maio
S T Q Q S S D

Você tem tudo para realizar seus projetos, mas só conseguirá materializá-los quando aceitar a ajuda e a inspiração dos espíritos de luz, que são os trabalhadores do bem na Terra e estão sempre dispostos a ajudar o progresso a se materializar.

6
Maio
S T Q Q S S D

Diante da ignorância que grassa no mundo e materializa a maldade, só com o apoio e a proteção da espiritualidade alguém consegue trabalhar em favor da luz.

7
Maio
S T Q Q S S D

Deixemos as religiões de lado, pois elas são o resultado dos pensamentos e das crendices dos que seguem como verdades as ideias e os pensamentos humanos, criados pelas aparências daqueles que desejam obter vantagens, dominar o mundo e ganhar, assim, o que puderem.

8

Maio
S T Q Q S S D

Lembre-se de que estamos vivendo no mundo, mas não somos do mundo. Somos espíritos eternos, criados à semelhança de Deus, que cuida do progresso e da humanidade.

9
Maio
S T Q Q S S D

A sabedoria é o caminho da felicidade. A vida deseja que você seja feliz, por isso coloca todas as oportunidades na sua frente para que siga esse caminho.

10
Maio
S T Q Q S S D

Sem preocupações, deixe o futuro nas mãos de Deus, porque, quando chegar o momento da mudança, a vida se encarregará disso.

11

Maio
S T Q Q S S D

Quando for se deitar, preste atenção aos sentimentos do seu coração e tente jogar fora a tristeza, o ressentimento, o arrependimento e o desânimo. Depois, pense em alguma coisa bonita, leve e agradável. Faça esse exercício e note como sua vida logo começará a melhorar. Deus sempre nos escuta e responde.

12
Maio
S T Q Q S S D

De tempos em tempos, precisamos reavaliar tudo, abrir mão do que não nos serve, mas que ainda pode ser utilizado por outra pessoa. Fazendo isso, movimentamos os bens e os recursos, e nossa vida prospera.

13
Maio
S T Q Q S S D

A captação de energias é um fato, mesmo para aqueles que não acreditem nelas.

14
Maio
S T Q Q S S D

Cultive a alegria e sinta a beleza, a bondade, a dignidade, o amor. Escolha isso em sua vida. Aprenda a cultivar esses sentimentos e, quando senti-los, terá o que dar. Você saberá como.

15

Maio
S T Q Q S S D

Nosso destino é a felicidade. Não importam os atalhos que escolhemos usar. Um dia, compreenderemos como o mal, a dor e a tristeza são ilusórios e que se tratam apenas de fases de aprendizagem, momentos de reflexão. Escolha a alegria, confie na vida e acredite no bem.

16
Maio
S T Q Q S S D

Seja feliz, faça seu melhor e peça em
suas orações para enxergar a verdade.
É só o que precisa fazer.

17
Maio
S T Q Q S S D

Cuidado com a pretensão, afinal, ela é mais perigosa que qualquer pensamento positivo. Enquanto esse último ajuda a viver melhor, a pretensão fatalmente termina na desilusão e na comprovação da própria impotência.

18
Maio
S T Q Q S S D

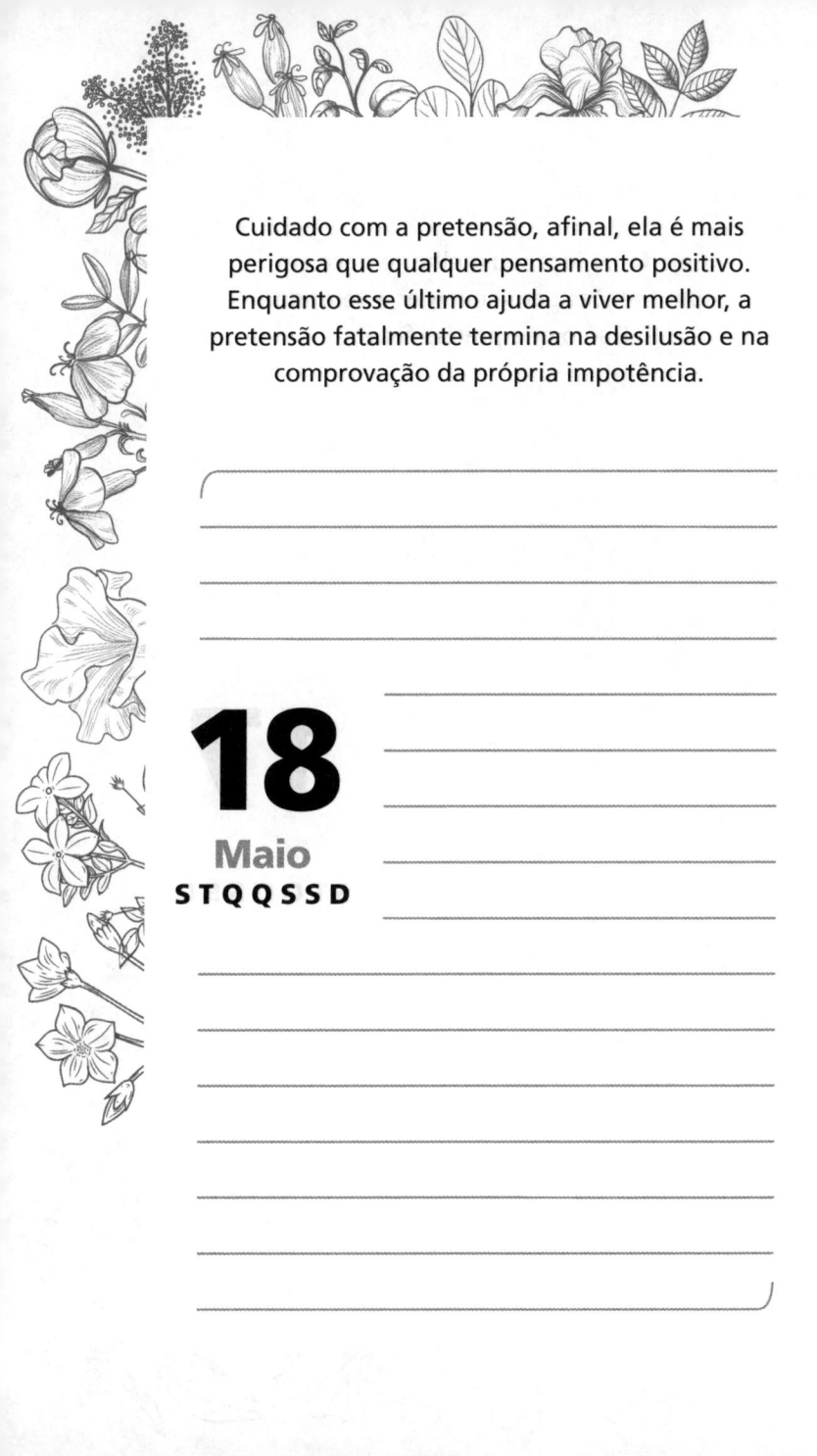

A verdade, em qualquer caso, é sempre o melhor caminho.

19

Maio
S T Q Q S S D

É tarefa individual descobrir o que deixa a alma feliz.

20
Maio
S T Q Q S S D

Saber se satisfazer com as coisas é uma arte, uma sabedoria que precisa ser desenvolvida. A felicidade já mora em nós. Apenas precisamos realizar essa conexão direta, independente dos acontecimentos exteriores.

21

Maio
S T Q Q S S D

Somos responsáveis por nossas atitudes.
Há valores essenciais que precisamos aprender
se quisermos viver melhor.

22
Maio
S T Q Q S S D

Ficar cada vez mais forte no bem é nossa garantia de equilíbrio, saúde e felicidade. Ninguém pode ficar bem se entregando a paixões desenfreadas, pois elas exacerbam as emoções e são insaciáveis, exigindo de nós sempre mais.

23
Maio
S T Q Q S S D

Tudo em sua vida só depende de você. Deus está dentro de cada um de nós à espera de que andemos, percebamos, queiramos e conquistemos o próprio bem-estar e nossa felicidade.

24
Maio
S T Q Q S S D

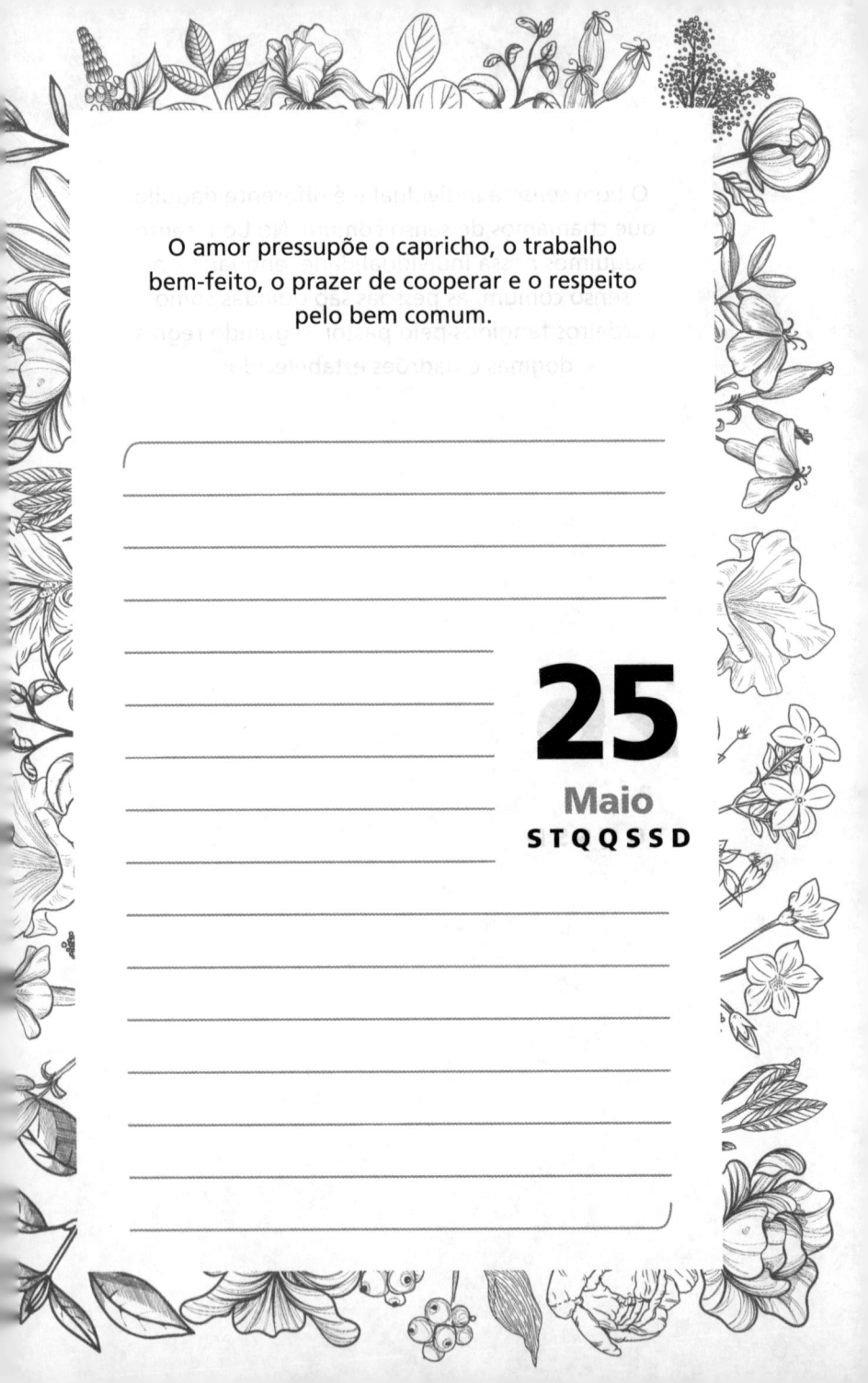

O amor pressupõe o capricho, o trabalho bem-feito, o prazer de cooperar e o respeito pelo bem comum.

25
Maio
S T Q Q S S D

O bom senso é individual e é diferente daquilo que chamamos de senso comum. No bom senso, seguimos nossa individualidade, enquanto, no senso comum, as pessoas são guiadas como cordeiros tangidos pelo pastor, seguindo regras, dogmas e padrões estabelecidos.

26
Maio
S T Q Q S S D

O fato de desconhecermos o futuro não quer
dizer que ele não seja bom. O que conta
é o equilíbrio da natureza. Já notou como
o universo é perfeito?

27

Maio
S T Q Q S S D

O importante é perceber a sabedoria, o equilíbrio e a inteligência que há em tudo. Desde as mais pequeninas coisas às grandes, tudo é inteligente e perfeito. Diante de tanta sabedoria, tanta beleza, tanto amor, não é seguro confiar?

28
Maio
S T Q Q S S D

Nós somos pessoas protegidas pelas forças divinas, e Deus é nosso provedor. Ele é a fonte de todos os nossos suprimentos e deseja nos dar o melhor.

29

Maio
S T Q Q S S D

Assim como a sociedade tem leis para preservar o próprio equilíbrio, a vida estabeleceu os valores verdadeiros do espírito eterno e criou leis cósmicas que funcionam naturalmente, respondendo a cada um de acordo com suas atitudes.

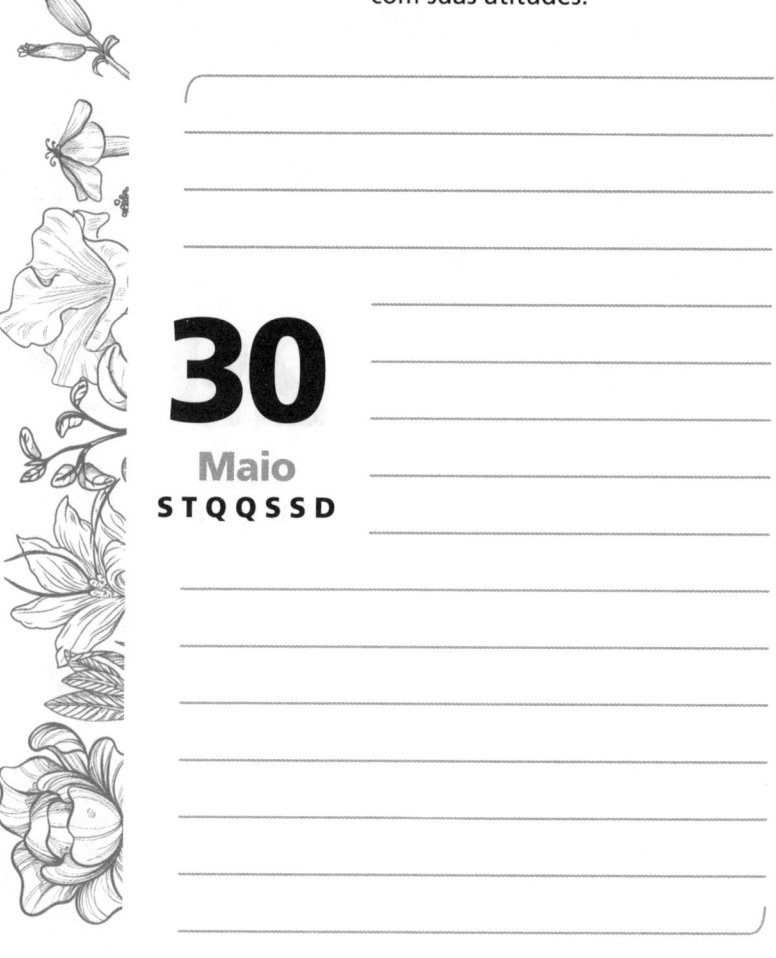

30
Maio
S T Q Q S S D

Quanto mais verdadeiro você for dentro dos valores da espiritualidade, mais equilibrado e feliz será.

31

Maio
S T Q Q S S D

JUNHO

Quando você se coloca na posição de vítima da própria incapacidade e subestima suas qualidades reais, depara-se com o medo, a insegurança e a infelicidade. É preciso sair disso. A vida está escolhendo-o e dizendo que é hora de enfrentar seus medos.

1

Junho
S T Q Q S S D

A vida não joga para perder e sabe que você é forte e capaz de vencer todos os desafios. Por que não confia nisso? Você já possui conhecimento espiritual suficiente para viver melhor.

2
Junho
S T Q Q S S D

A aflição atrai as dificuldades. Quem se aflinge com as coisas não confia em si e na vida, não se dá força.

3
Junho
S T Q Q S S D

A arte é a maneira mais eficiente de sensibilizar o espírito. A beleza fala da perfeição da vida e os sons tangem as cordas da alma.

4
Junho
S T Q Q S S D

A coragem é essencial para
quem quer progredir.

5
Junho
S T Q Q S S D

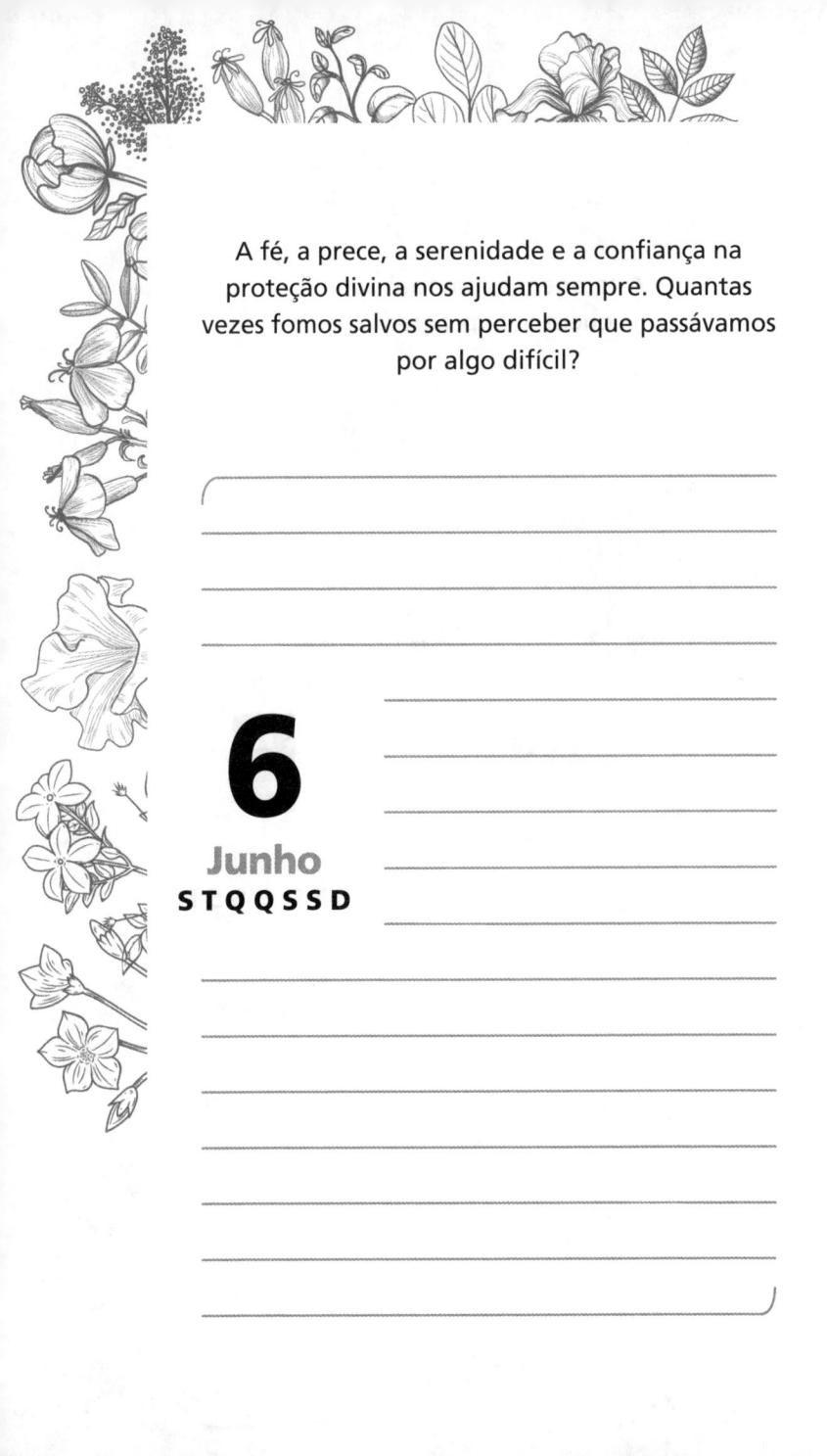

A fé, a prece, a serenidade e a confiança na proteção divina nos ajudam sempre. Quantas vezes fomos salvos sem perceber que passávamos por algo difícil?

6
Junho
S T Q Q S S D

Nossa alma é especial e adora cercar-se de beleza, conforto, amor, sucesso e paz. Expressar o que sente é fazer brilhar a própria luz.

7

Junho
S T Q Q S S D

Nosso espírito é perfeito. Nós somos semelhantes a Deus e carregamos a essência divina dentro de nós.

8
Junho
S T Q Q S S D

Nosso espírito tem todos os sensos, como o bom senso e o senso do prazer, da alegria. É ele que dá sentido à nossa vida.

9

Junho
S T Q Q S S D

Entre na energia da paz e não deixe que as preocupações do mundo o deixem no negativo.

10
Junho
S T Q Q S S D

Escolha o bem, acredite que pode
e seja ético, pois a ética é fundamental
para a espiritualidade.

11
Junho
S T Q Q S S D

Escute com o coração, fale com inteligência, ande com paciência e aja com amor.

12
Junho
S T Q Q S S D

No tempo oportuno, todas as peças do quebra-cabeça se encaixarão. A paciência nos aconselha a esperar.

13

Junho
S T Q Q S S D

Embora a gente não aceite certas coisas, a vida não faz nada errado. Não existe vítima.

14

Junho
S T Q Q S S D

O bem é muito maior que qualquer mal.
O bem sempre triunfa e o mal acaba.

15

Junho
S T Q Q S S D

O carma é o que você cria com suas escolhas.
Você escolhe e colhe o resultado.

16
Junho
S T Q Q S S D

O desafio é proporcional à necessidade.
A vida nos apresenta desafios para mudarmos
e percebermos algumas coisas.

17

Junho
S T Q Q S S D

O lucro é o resultado dos acertos. E lucro não significa apenas dinheiro. Aprenda a lidar com as coisas da vida e conquiste a sabedoria.

18
Junho
S T Q Q S S D

Seja você a água que mata a sede da alma e o bálsamo da paz. Torne-se instrumento da bondade divina que trabalha para o bem, a alegria e a luz. Paz e amor são a força maior.

19
Junho
S T Q Q S S D

Vá em frente e aceite as mudanças. Se suas ilusões foram destruídas, continue firme na certeza de que elas estavam impedindo seu progresso. Confie e siga adiante.

20

Junho
S T Q Q S S D

O mundo inteiro está agitado, por isso, temos de vibrar pelo bem. Não se envolva nessa maré de negativismo.

21

Junho
S T Q Q S S D

Nosso espírito sente a verdade das coisas. Nós estamos conectados com a espiritualidade dentro da alma.

22

Junho
S T Q Q S S D

O objetivo de nossa vida é absorvermos todas as capacidades do nosso espírito e crescermos dentro de nossa sabedoria.

23

Junho
S T Q Q S S D

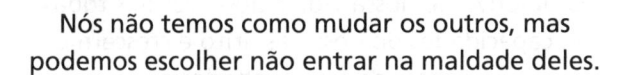

Nós não temos como mudar os outros, mas podemos escolher não entrar na maldade deles.

24
Junho
S T Q Q S S D

Quando conseguimos enxergar as coisas como elas são, escolhemos melhor e somos mais felizes. E a felicidade é um objetivo que pode e precisa ser conquistado.

25

Junho
S T Q Q S S D

É a alegria que fortalece a saúde e faz a vida se tornar mais produtiva.

26
Junho
S T Q Q S S D

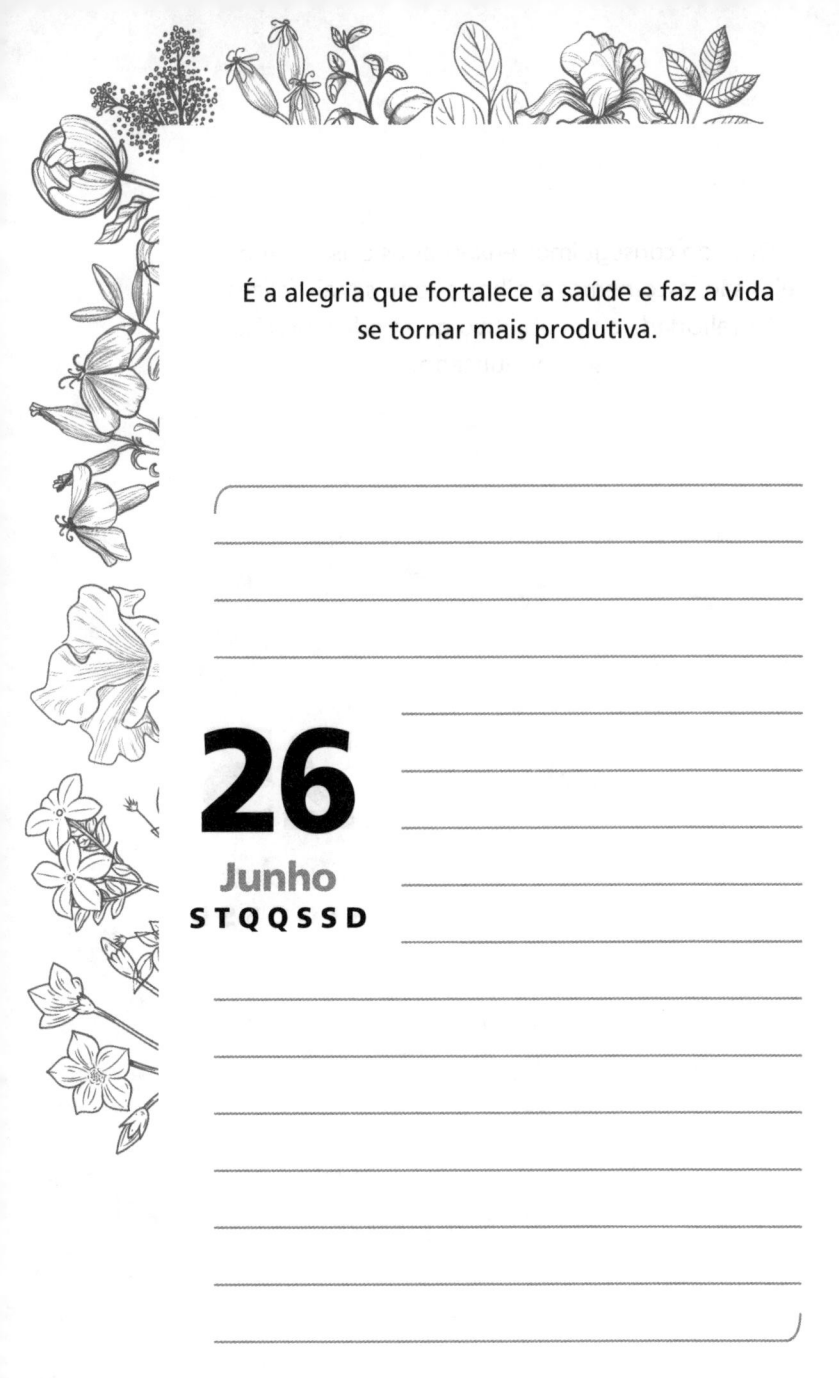

Às vezes, precisamos das dificuldades para sair do exagero. A vida não gosta de excessos.

27

Junho
S T Q Q S S D

Defenda-se das energias negativas! Não absorva o que não faz bem para você.

28
Junho
S T Q Q S S D

Nós temos o poder da escolha, então, escolha ficar livre. Não se incomode com o que os outros pensam.

29

Junho
S T Q Q S S D

Experimente aprender coisas novas,
pois faz bem para o espírito.

30
Junho
S T Q Q S S D

O segredo da felicidade:

amar sem apego;
olhar sem maldade;
viver sem pressa;
caprichar mais;
valorizar seu tempo;
disciplinar os pensamentos;
alimentar só o bem.

JULHO

Quando aprendemos sobre as leis que regem o universo, fazemos escolhas mais acertadas.

1

Julho
S T Q Q S S D

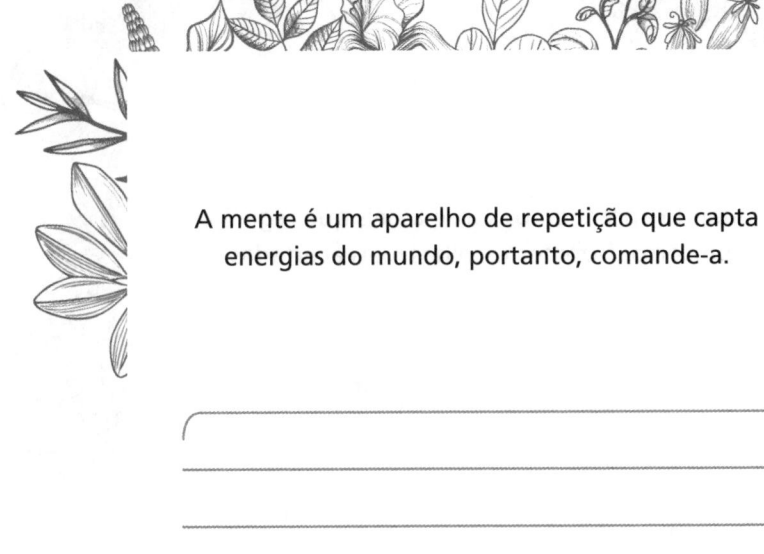

A mente é um aparelho de repetição que capta energias do mundo, portanto, comande-a.

2
Julho
S T Q Q S S D

A lucidez só acontece quando você vive o presente, fazendo de cada momento um motivo para ficar no bem.

3
Julho
S T Q Q S S D

Não se detenha nas coisas pequenas. Eleve o pensamento, creia no melhor e siga adiante realizando suas aspirações.

4

Julho
S T Q Q S S D

Não se deixe levar pela inquietação do mundo. Seja você o elemento positivo, que suaviza as forças rebeladas dos que não conseguem perceber o bem e vivem se torturando com o medo e as dificuldades que assolam o mundo.

5

Julho
S T Q Q S S D

Só o conhecimento, a vivência e a observação podem nos levar à certeza da fé. Acreditar é questão de sentir, entender, saber como é. É dessa forma que a fé move montanhas.

6
Julho
S T Q Q S S D

Não tema a maldade alheia porque só caem nas armadilhas do mal os que se afinam com ela. Para os que se iluminam com o conhecimento espiritual, tudo se transforma em aprendizagem e progresso.

7

Julho
S T Q Q S S D

Vá em frente e aceite as mudanças. Se suas ilusões foram destruídas, continue firme na certeza de que elas estavam impedindo seu progresso. Confie e siga adiante.

8
Julho
S T Q Q S S D

Conhecer seu mundo interior é enxergar melhor o caminho que deve seguir. Não se esqueça de que o tempo passa, mas a experiência permanece. Não perca mais tempo. Confie na inspiração divina e siga adiante.

9
Julho
S T Q Q S S D

Os erros são úteis, mas o que é sem serventia precisa ser eliminado. Só assim você terá meios de reagir e seguir adiante.

10
Julho
S T Q Q S S D

O progresso é seu destino. A vida quer lhe dar a felicidade perfeita. Abra sua alma e aceite as bênçãos que lhe estão destinadas.

11

Julho
S T Q Q S S D

A força de Deus mora em seu espírito e age por meio das leis eternas que regem o universo. Elas são funcionais e priorizam a meritocracia. Dê ao seu EU o poder absoluto de escolha. Você é a lei!

12
Julho
S T Q Q S S D

Seja prático, coloque sua alegria em primeiro lugar, e as forças positivas do universo lhe darão apoio para enfrentar com coragem os desafios do dia a dia. Experimente e verá!

13
Julho
S T Q Q S S D

Aprender como as coisas são, agir com inteligência, interagir com a vida fazendo o melhor é contar com o apoio do universo, que sabe como fazer para tornar sua vida mais plena e feliz. Esse é o caminho. Coragem! Vá em frente!

14
Julho
S T Q Q S S D

A conquista da serenidade traz calma, eficiência, clareza na solução dos problemas e coragem para vencer os desafios do caminho. Cultivar a paz é agir com inteligência, acreditar na vida e seguir adiante sendo mais feliz! Alegria já!

15

Julho
S T Q Q S S D

Cultive a paz interior para que a serenidade restaure seu equilíbrio e faça seu melhor. Quando você faz o que pode, a vida providencia o resto.

16
Julho
S T Q Q S S D

Você está aqui para desenvolver seus potenciais, cooperar com a vida e evoluir. Se você assume a responsabilidade pelos seus atos, a vida o apoia. Se você se julgar incapaz e negar sua força, a vida lhe enviará mais desafios para fazê-lo reagir e seguir adiante. Evoluir é fatal!

17
Julho
S T Q Q S S D

O bem pode não estar visível em certos momentos, mas, mesmo assim, ele continua agindo, distribuindo sua luz e colocando cada coisa no devido lugar.

18

Julho
S T Q Q S S D

Mesmo nos dias nublados e frios, podemos manter o sol brilhando no coração e ter o prazer de saborear uma sopa gostosa, vestir uma roupa quentinha e se reunir com os amigos para conversar em um lugar aconchegante. É muito bom trocar experiências, amor e refazer energias para seguir adiante com alegria e luz!

19
Julho
S T Q Q S S D

Se ligue em você e ignore o mal. Além de se sentir mais leve e sereno, abrirá espaço para que os espíritos de luz atuem no mundo por meio de você, distribuindo energias de amor e paz. Colabore com Deus!

20
Julho
S T Q Q S S D

Quem tem fé e amor incondicional no coração irradia luz sobre tudo e todos e está a serviço de Deus na construção de um mundo melhor.

21
Julho
S T Q Q S S D

Esqueça as horas vividas na bolha das ilusões
e aja do jeito certo, trabalhando com vontade
e construindo um tempo novo.

22
Julho
S T Q Q S S D

O caminho está aberto e livre para você transitar rumo à conquista da harmonia e da luz. Siga por ele sem medo, com os olhos voltados ao mundo maior, que o auxilia em sua caminhada. Não se detenha nas coisas pequenas, eleve o pensamento, creia no melhor e siga adiante, realizando suas aspirações.

23

Julho
S T Q Q S S D

Enxergar as coisas boas que possui e não absorver os problemas dos outros, sabendo que cada um responde por si, é algo que nos alivia e acalma. Saber esperar, fazer o melhor, acreditar que a vida sabe mostrar a cada um o que precisa aprender é ficar em paz e enfrentar os desafios do amadurecimento com inteligência.

24
Julho
S T Q Q S S D

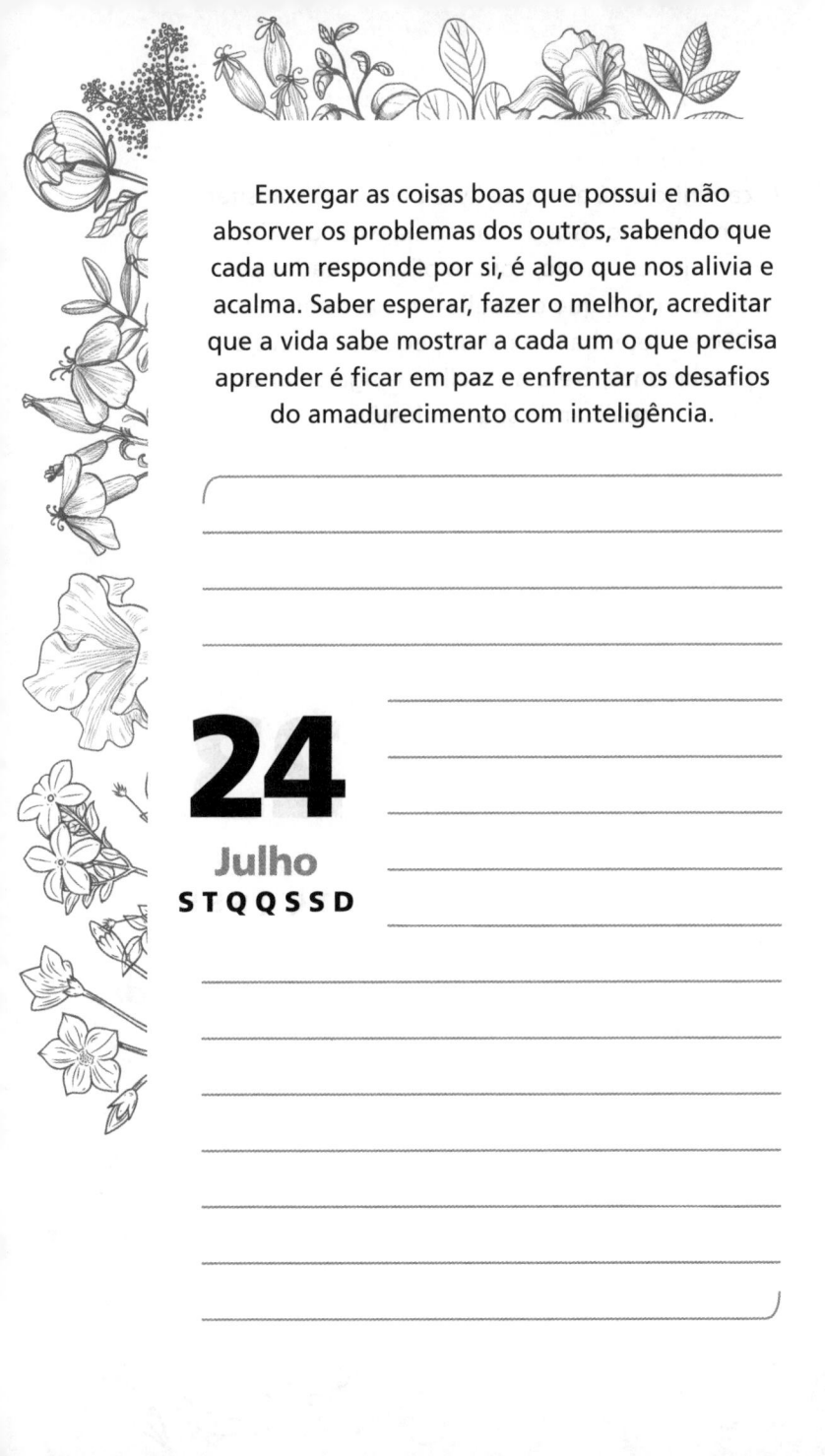

Muitas pessoas estão tentando solucionar os problemas do mundo, quando ainda não resolveram os próprios problemas. As frustrações do mundo poderiam ser resolvidas com mais facilidade se primeiro solucionássemos as frustrações em nossa vida.

25
Julho
S T Q Q S S D

Nem tudo o que parece é, mas
o que é sempre aparece.

26
Julho
S T Q Q S S D

Ao surgir um pensamento negativo, não dê importância, mude o foco, crie outro positivo e persista. Você tem esse poder.

27

Julho
S T Q Q S S D

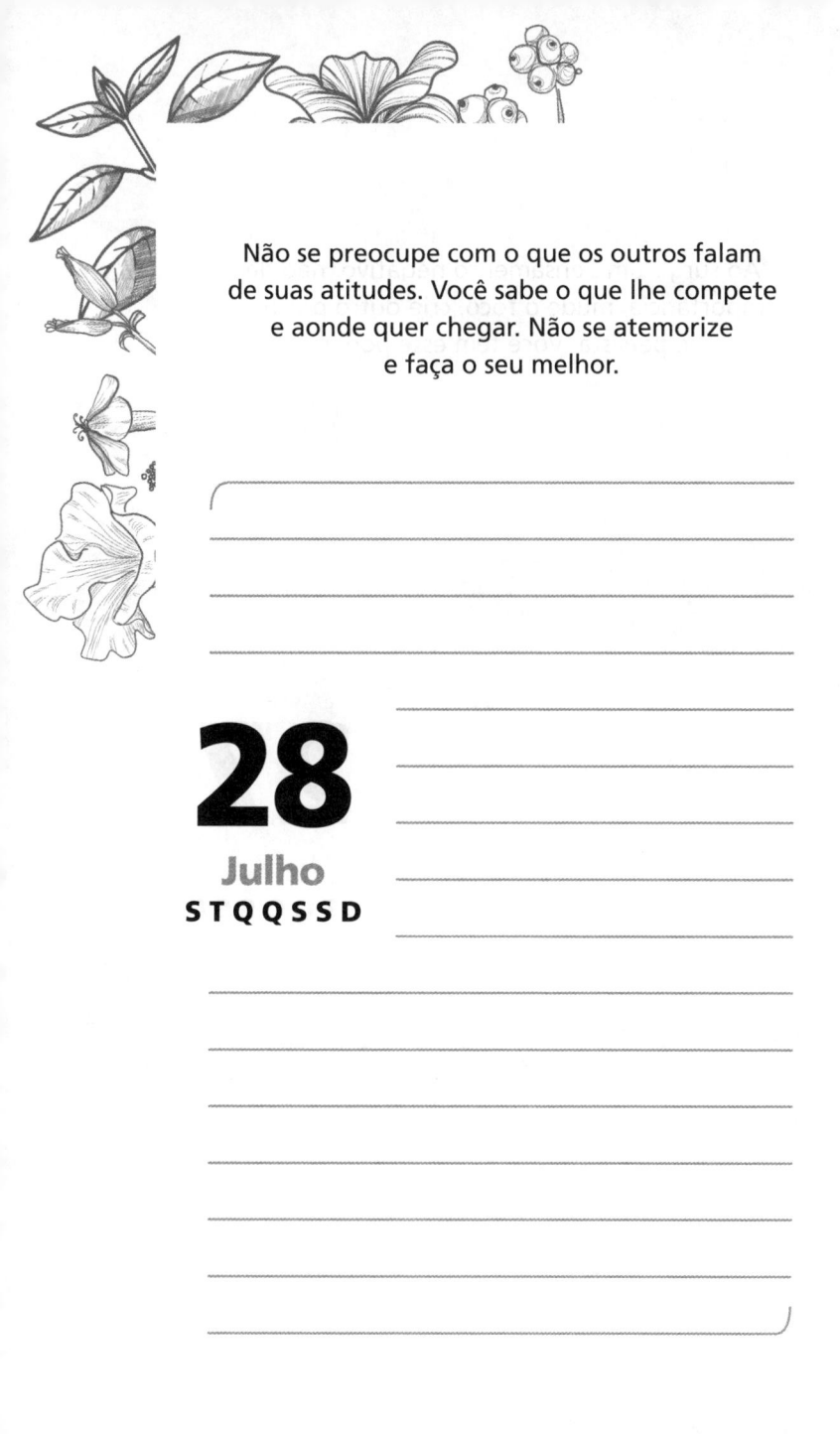

Não se preocupe com o que os outros falam de suas atitudes. Você sabe o que lhe compete e aonde quer chegar. Não se atemorize e faça o seu melhor.

28
Julho
S T Q Q S S D

O descalabro de uns não significa que o mundo esteja à matroca. Firmar-se no pensamento positivo, como força decisiva e operante para rechaçar a maldade e as energias negativas que nos circundam, é o caminho.

29

Julho
S T Q Q S S D

Lembre-se da importância de sua interpretação e olhe tudo com bons olhos. Agir assim é usar a inteligência para sofrer menos, afinal, embora tudo seja como é, a forma como você enxerga as coisas faz toda a diferença.

30
Julho
S T Q Q S S D

Nós temos de plantar o bem, cultivar alegria, olhar as coisas de maneira mais realista, sem culpar os outros.

31

Julho

S T Q Q S S D

AGOSTO

Nossa imaginação é muito fértil e com facilidade entra na ilusão, sem saber que, ao fazer isso, está programando a própria frustração.

1
Agosto
S T Q Q S S D

O amadurecimento do espírito e o desenvolvimento da consciência são trabalhos individuais e intransferíveis.

2
Agosto
S T Q Q S S D

O amor vence todas as barreiras e une as pessoas pela eternidade. É a coisa mais importante e a mais forte do universo.

3

Agosto
S T Q Q S S D

Quando você faz algo novo, aumenta o potencial do seu cérebro. Quando faz tudo sempre igual, o cérebro se acomoda.

4

Agosto
S T Q Q S S D

A crença de que a velhice traz apenas limitações é responsável pela infelicidade dos que chegam à idade avançada. Fechando-se ao progresso, as pessoas perdem a vontade de viver.

5
Agosto
S T Q Q S S D

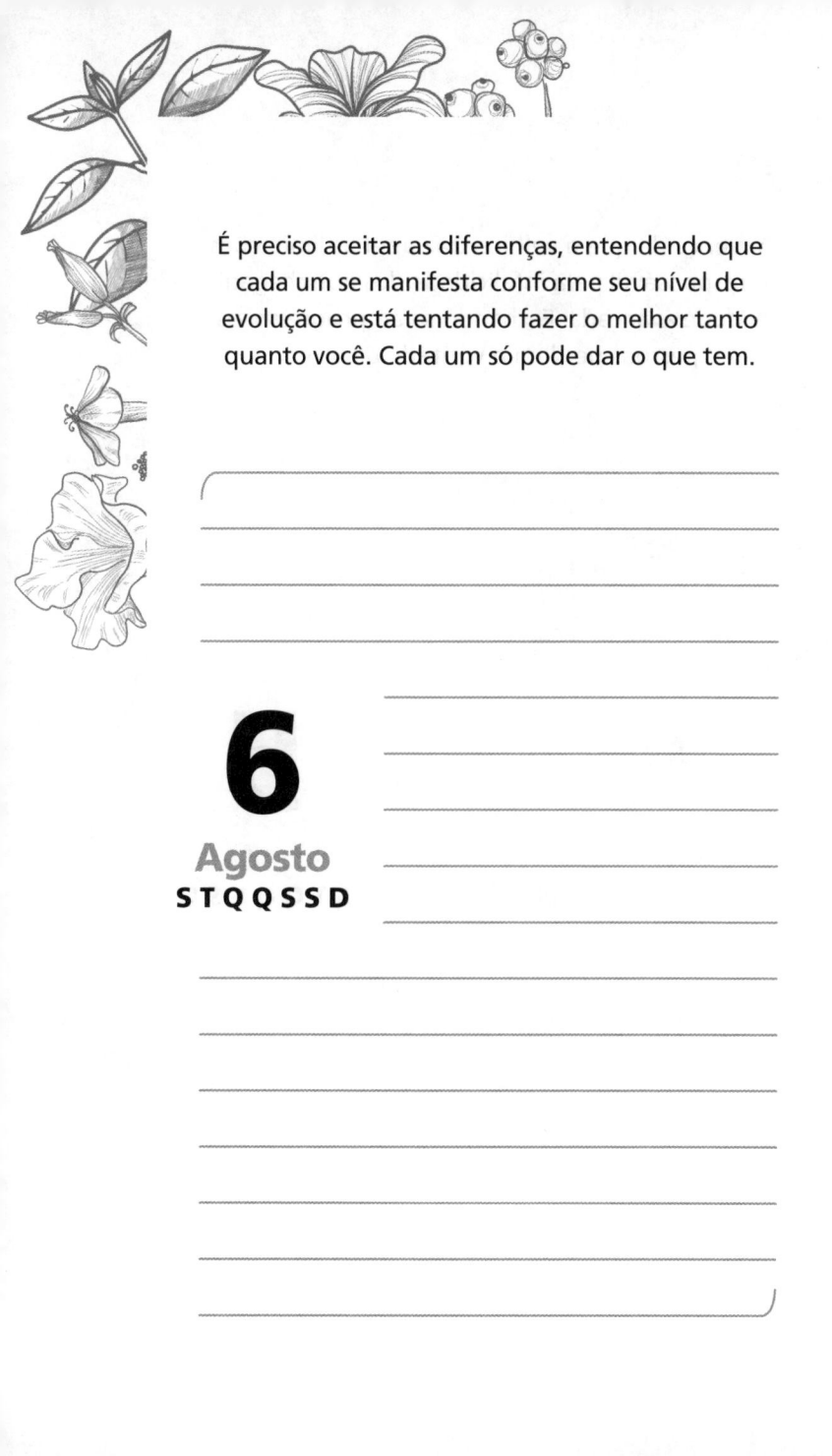

É preciso aceitar as diferenças, entendendo que cada um se manifesta conforme seu nível de evolução e está tentando fazer o melhor tanto quanto você. Cada um só pode dar o que tem.

6

Agosto
S T Q Q S S D

Espalhar bondade é bom. Traz os louros da verdade, enobrece quem o faz e traz paz e serenidade.

7
Agosto
S T Q Q S S D

Lembre-se: em cada caminho, uma luz; em cada porta, uma chave; em cada momento, uma necessidade. Se não sabe como encontrar o que precisa, fique atento aos sinais que a vida lhe dá e siga em frente.

8
Agosto
S T Q Q S S D

A indignação justa é sempre útil se usada com inteligência. Ela faz a diferença e transforma pessoas comuns em heroínas.

9
Agosto
S T Q Q S S D

Quem é prisioneiro do medo e da insegurança está atado ao mundo material. Só a certeza da espiritualidade abre as portas da eternidade, liberta o espírito desses sentimentos e mostra a beleza da vida.

10
Agosto
S T Q Q S S D

Insegurança e medo revelam falta de fé. Confiar na vida é a chave para vencê-los. Compete a você achar essa chave, que só se mostra para quem tem coragem de buscar a verdade, esteja ela onde estiver.

11

Agosto
S T Q Q S S D

A vida reúne e separa as pessoas. Mesmo vivendo juntos uma vida inteira, há sempre a hora da separação, quando cada um deve seguir seu rumo.

12
Agosto
S T Q Q S S D

Sempre que pensamentos negativos o incomodarem, reaja! Não se impressione nem dê importância. Troque-os por pensamentos positivos e acredite que, esses sim, se materializarão.

13
Agosto
S T Q Q S S D

Para descobrir como a vida funciona, é preciso experimentar, observar como as coisas acontecem, analisar suas crenças e questioná-las a fim de descobrir até que ponto são verdadeiras.

14
Agosto
S T Q Q S S D

Depois da morte do corpo, seu espírito continua vivo e volta para o lugar de onde veio. Se não acredita, lembre-se: "Há muitas moradas na casa de meu Pai", disse Jesus. Ele sabia o que estava dizendo.

15
Agosto
S T Q Q S S D

Cada pessoa no mundo tem um processo de evolução. Ela vai passar pelo que tiver de passar para aprender, e ninguém poderá impedir isso.

16
Agosto
S T Q Q S S D

A vida quer que você aprenda que
a verdade é o melhor caminho.

17
Agosto
S T Q Q S S D

Não pense na pessoa com o problema; pense nela pelo lado positivo e envie-lhe energia amorosa. Assim, você poderá ajudá-la.

18
Agosto
S T Q Q S S D

Às vezes, seu espírito quer lhe mostrar algo, mas você acha que é ilusão. Fique atento e observe mais.

19
Agosto
S T Q Q S S D

É preciso ter paciência. No relacionamento em família, o mais importante é conservar o equilíbrio.

20
Agosto
S T Q Q S S D

Quando você se conecta com sua alma,
encontra-se com Deus.

21
Agosto
S T Q Q S S D

Não podemos mudar os acontecimentos à nossa volta nem interferir no que as pessoas fazem, contudo, podemos mudar nossas atitudes com relação a eles.

22
Agosto
S T Q Q S S D

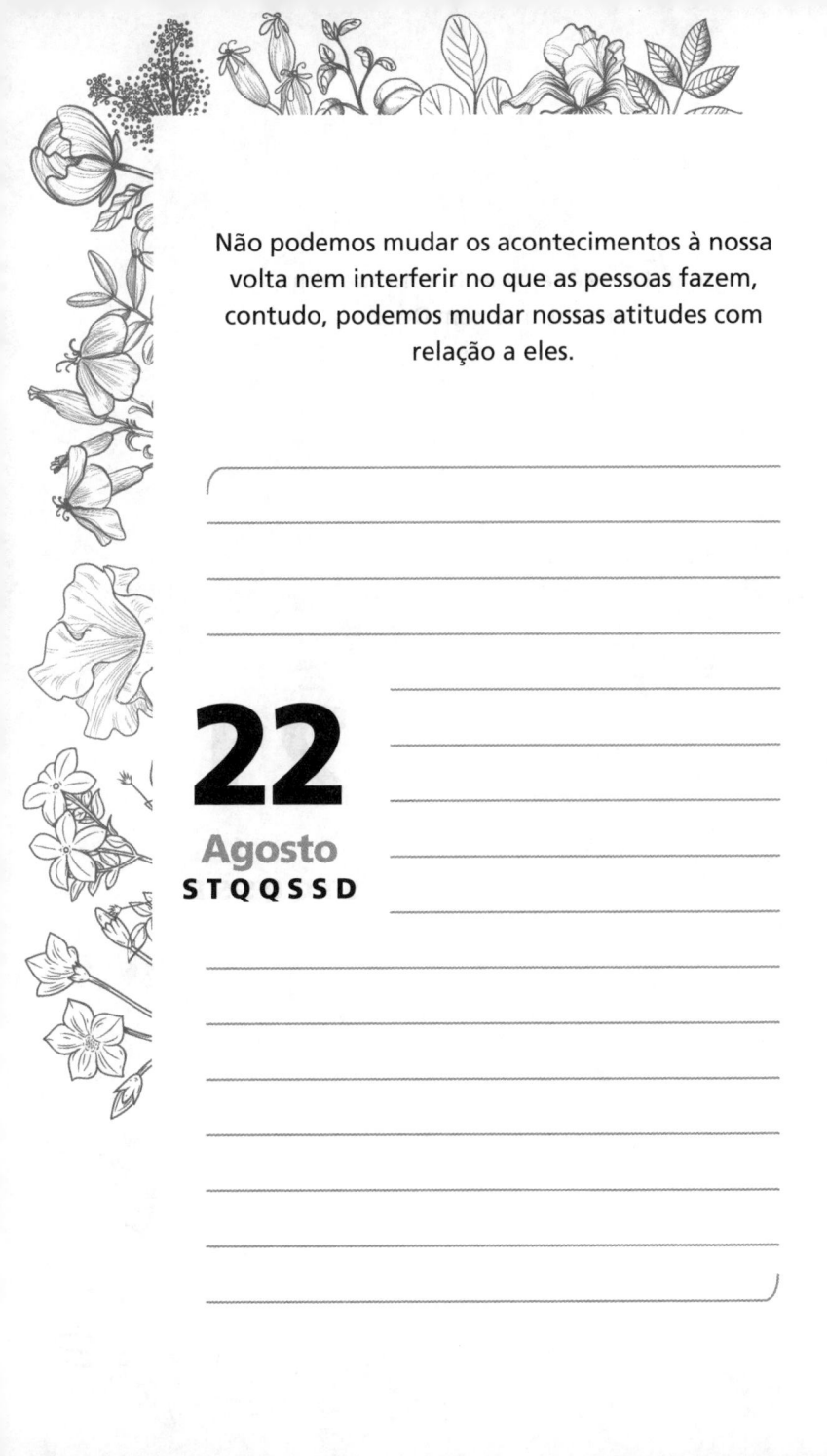

A vida nunca nos pune. Ela ensina do jeito dela.

23
Agosto
S T Q Q S S D

Você vem ao mundo para treinar. Tudo o que passa aqui é acúmulo de experiências e treinamento.

24
Agosto
S T Q Q S S D

Ensinar alguém a caminhar com as próprias pernas é libertá-lo da ilusão limitante do comodismo. É fortalecê-lo.

25
Agosto
S T Q Q S S D

Envolva-se com a beleza da natureza, do dia e do céu. Acredite que a vida é boa e que você pode desfrutar de todo o bem-estar a que tem direito.

26
Agosto
S T Q Q S S D

Para quê perder tempo com o que não é bom?
A gente acaba apenas se ligando a coisas
negativas. Não vale a pena.

27
Agosto
S T Q Q S S D

Ninguém é obrigado a tolerar alguma coisa que não aguenta e lhe traz infelicidade. Liberte-se e pague o preço do seu bem-estar. Você merece!

28
Agosto
S T Q Q S S D

Quando você não segue sua intuição,
as coisas não caminham.

29
Agosto
S T Q Q S S D

Não assuma a responsabilidade dos outros. A vida tem competência para ensinar-lhe tudo o que precisa aprender. Ela quer apenas que você cuide de si e seja uma pessoa melhor.

30
Agosto
S T Q Q S S D

Aceitar o que não pode mudar
é ter sabedoria.

31
Agosto
S T Q Q S S D

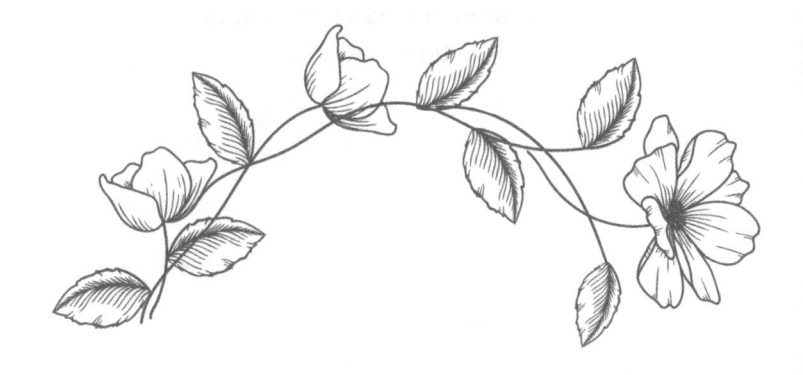

SETEMBRO

Cuidar das coisas com carinho é retribuir o que a natureza nos dá. Amar eleva o espírito e equilibra nossas energias.

1
Setembro
S T Q Q S S D

Um pingo de luz é capaz de acabar
com a escuridão.

2
Setembro
S T Q Q S S D

Para conservar o equilíbrio e a imunidade, não devemos entrar no que é ruim.

3
Setembro
S T Q Q S S D

Quando você quer e usa o poder do seu espírito, você vence qualquer coisa.

4
Setembro
S T Q Q S S D

Quando temos bom senso para realizar um projeto, acabamos inspirados para realizá-lo da melhor forma.

5

Setembro
S T Q Q S S D

Quem se ama também ama a vida, cuida das coisas com capricho, coopera com a natureza, tem generosidade e alegria, irradia luz e é amado.

6

Setembro
S T Q Q S S D

A certeza de que o espírito é eterno e de que continuamos vivendo depois da morte do corpo físico nos conforta e abre nossa mente, fazendo-nos entender melhor os mistérios aparentes que nos rodeiam.

7

Setembro
S T Q Q S S D

Quem tem fé sempre fica melhor. É a fé que nos ajuda a superar as adversidades da vida.

8
Setembro
S T Q Q S S D

A vida se renova a cada dia. E mesmo que você não queira, mudará também.

9

Setembro
S T Q Q S S D

A violência é fruto da ignorância e do orgulho.
São ilusões que a vida vai destruir.

10
Setembro
S T Q Q S S D

A visita da verdade nos faz reciclar valores, modificar ideias, aprender lições novas, caminhar para a frente e desenvolver nosso mundo interior.

11

Setembro
S T Q Q S S D

Nosso espírito sente a verdade das coisas. Nós estamos conectados com a espiritualidade dentro da alma.

12
Setembro
S T Q Q S S D

Se algo deu errado, é porque não soubemos como fazê-lo, mas pelo menos descobrimos o que não dá certo. Não houve fracasso, pois estamos aprendendo.

13
Setembro
S T Q Q S S D

O corpo é o espelho onde se reflete o espírito.
O espírito tem sabedoria; ele é luz, essência
divina. Deixe seu corpo refletir essa luz.

14

Setembro
S T Q Q S S D

Temos o direito de chorar a perda, a separação, mas a vida continua. Não se desespere e confie na vida.

15
Setembro
S T Q Q S S D

Seja qual for a situação que estiver enfrentando, firme o propósito de pensar só no bem. É dessa forma que você se ligará com a luz, descobrirá que a vida é perfeita e tomará conta de tudo.

16
Setembro
S T Q Q S S D

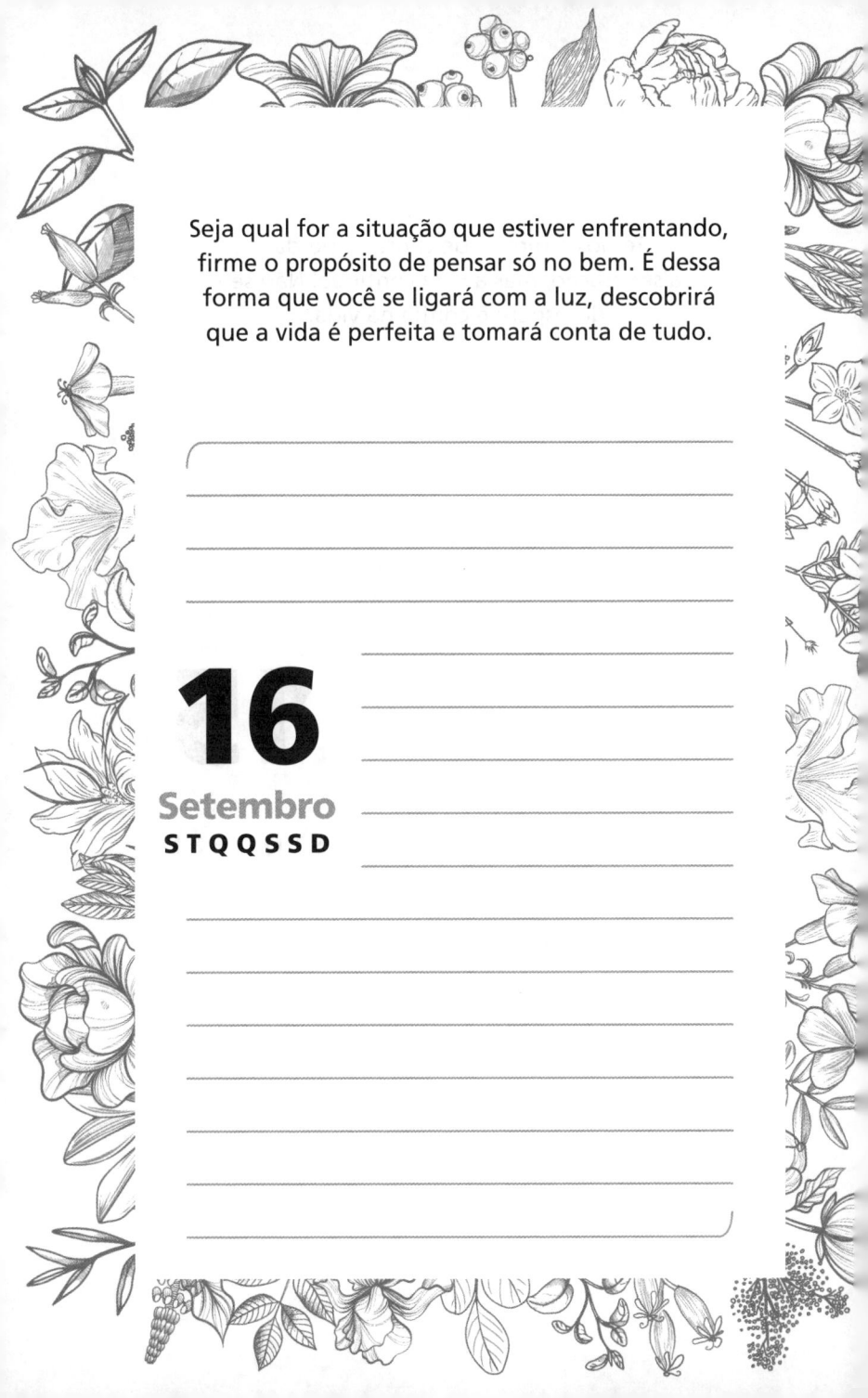

Abra as portas para o novo. Não tenha medo do amanhã.

17
Setembro
S T Q Q S S D

Quando a sensibilidade se abre, você capta energia de tudo. É preciso aprender a lidar com isso.

18
Setembro
S T Q Q S S D

A vida não faz aquilo que você quer;
ela faz o que você precisa.

19
Setembro
S T Q Q S S D

A gratidão nos convoca a contribuir para o progresso de todos, preparando o terreno para os que virão. É a força da evolução.

20

Setembro
S T Q Q S S D

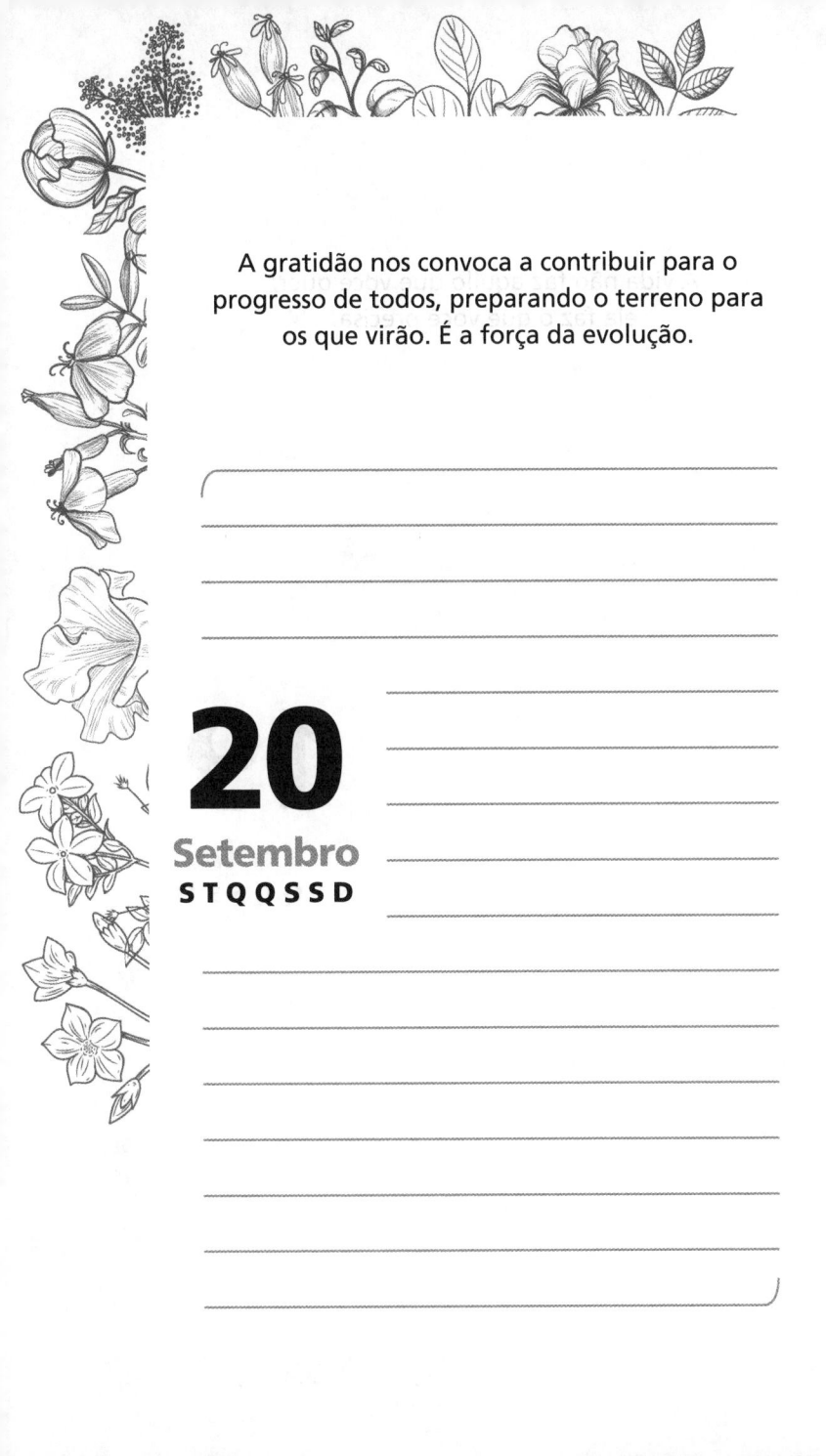

Capriche no que faz, trate-se com carinho e seja positivo. Acredite que merece o melhor.

21
Setembro
S T Q Q S S D

Aconteça o que acontecer, não tenha medo.
Confie na vida. Ligue-se a Deus, glorifique a vida
e cultive a alegria.

22
Setembro
S T Q Q S S D

Não adianta sofrer com as coisas que não temos capacidade de resolver. Entregue-as nas mãos de Deus e apenas aceite.

23

Setembro
S T Q Q S S D

Não critique ninguém e também não julgue, mas perceba os pontos fracos dos outros para se proteger e lidar melhor com as pessoas.

24
Setembro
S T Q Q S S D

Só o amor consegue e tem forças suficientes para tocar a alma, transformar energias, mudar situações e harmonizar o mundo interior.

25
Setembro
S T Q Q S S D

As energias negativas grudam em nós, deixam-nos sem força e acabam com nosso bem-estar. É preciso ter inteligência para não deixá-las nos envolver.

26
Setembro
S T Q Q S S D

Acredite que merece o melhor e ilumine com amor tudo à sua volta, para que as coisas se transformem e para que você possa ter mais alegria e paz.

27

Setembro
S T Q Q S S D

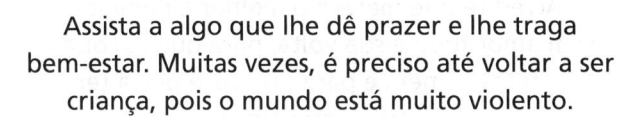

Assista a algo que lhe dê prazer e lhe traga bem-estar. Muitas vezes, é preciso até voltar a ser criança, pois o mundo está muito violento.

28
Setembro
S T Q Q S S D

Busque sua alegria, cuide de você e ponha sua luz para fora. Você veio para brilhar.

29

Setembro
S T Q Q S S D

Sucesso é você poder colocar a cabeça no travesseiro à noite e estar em paz e satisfeito consigo mesmo.

30
Setembro
S T Q Q S S D

A fé em Deus, a certeza da eternidade e a reencarnação nos permitem aprender sempre até alcançar a sabedoria, que abre as portas do entendimento, nos ajuda a compreender os verdadeiros objetivos da vida e fortalece nosso espírito, auxiliando-nos a enfrentar os desafios do amadurecimento.

OUTUBRO

Cada dor, cada luta, cada sofrimento têm sua razão de ser na justiça perfeitíssima de Deus.

1

Outubro
S T Q Q S S D

Não dê força para o negativismo. Fique no bem!

2

Outubro
S T Q Q S S D

Não entre na maldade gratuita. Não entre nesse clima, pois não lhe fará bem.

3
Outubro
S T Q Q S S D

Não dê forças às energias negativas. Deixe o passado passar. A situação mudou, você evoluiu, e tudo será melhor.

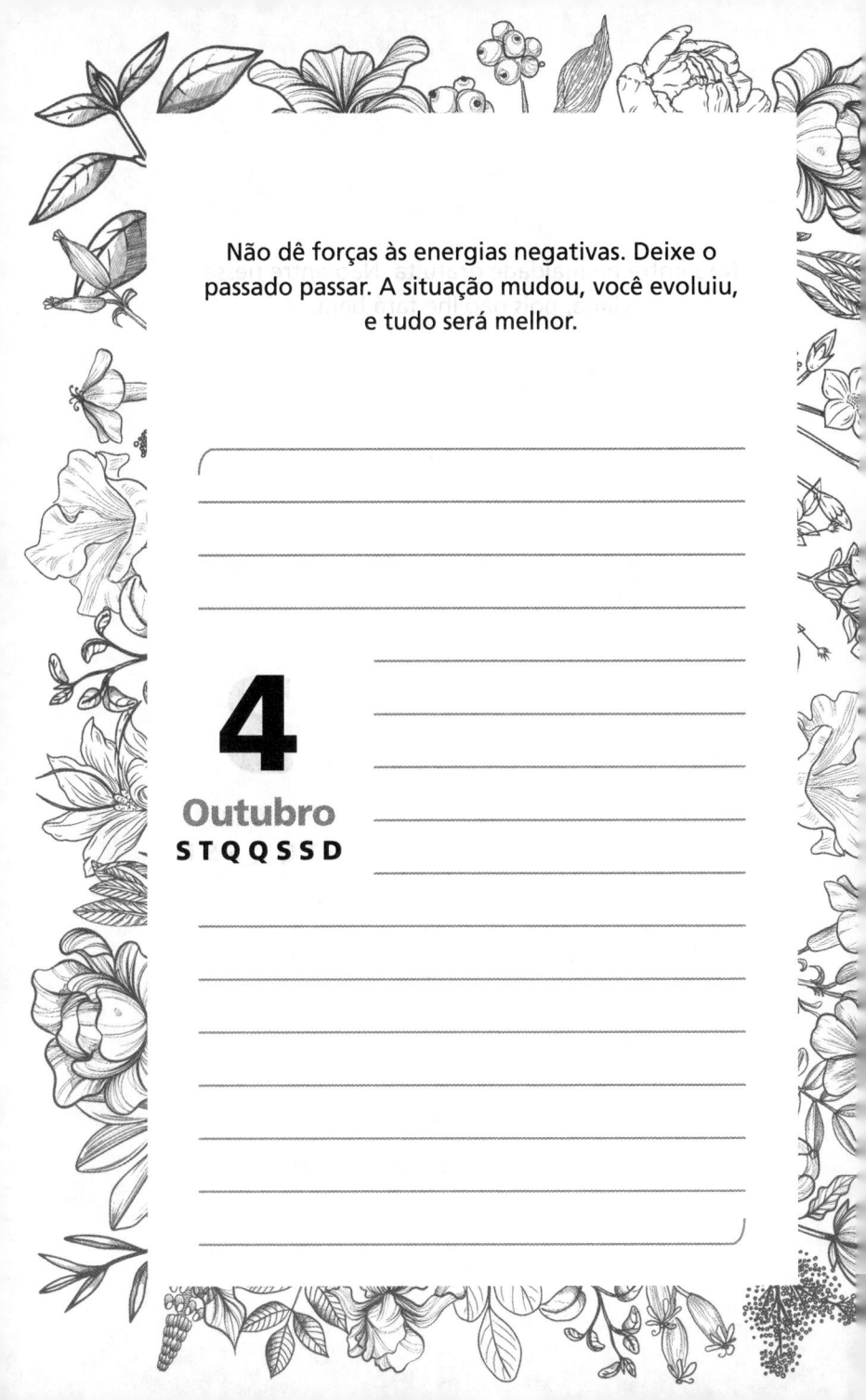

4
Outubro
S T Q Q S S D

Não force nada. Quando a vida não
quer, o melhor é aceitar.

5
Outubro
S T Q Q S S D

Não há nada que substitua a intuição. Quando bem desenvolvida, você sabe o que fazer e para que lado deve ir.

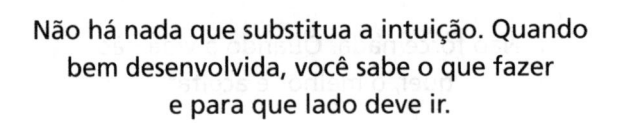

6
Outubro
S T Q Q S S D

É sempre bom rezar e pedir inspiração. A ajuda espiritual nos favorece muito quando temos fé.

7
Outubro
S T Q Q S S D

Quando você se conecta com sua alma, encontra-se com Deus.

8
Outubro
S T Q Q S S D

Há coisas que acontecem de surpresa em nossa vida e nos deixam tristes. Quando a vida tira alguma coisa de você, ela está lhe preparando algo melhor.

9
Outubro
S T Q Q S S D

Não queira provar nada para ninguém. Cada um é livre para procurar os próprios caminhos.

10
Outubro
S T Q Q S S D

Precisamos nos esquecer da vaidade, do orgulho. Cada pessoa é de um jeito. O amor é o melhor remédio para aceitar o outro.

11

Outubro
S T Q Q S S D

Não se sugestione com os problemas do mundo.

12
Outubro
S T Q Q S S D

Cada pessoa no mundo tem um processo de evolução. Ela vai passar pelo que tiver de passar para aprender, e ninguém poderá impedir isso.

13
Outubro
S T Q Q S S D

Não perca a esperança. Deus está no leme de tudo. Nada acontece sem que a vida esteja trabalhando pelo seu melhor.

14
Outubro
S T Q Q S S D

Preste atenção no que a vida quer e vá pela inteligência para evitar sofrimento.

15

Outubro
S T Q Q S S D

A vida nos acena com a verdade, e, aos poucos, nós aprendemos a viver melhor.

16
Outubro
S T Q Q S S D

Nossa confiança na espiritualidade precisa ser autêntica. Não fique na dúvida, busque provas. A vida sempre mostra o caminho.

17
Outubro
S T Q Q S S D

Nosso espírito é eterno e continua vivo depois da morte. Nunca é demais repetir. Acredite. Essa é a verdade da vida.

18
Outubro
S T Q Q S S D

O medo é paralisante. Quando temos muito medo, a vida fica parada, mas podemos controlar nossos pensamentos.

19

Outubro
S T Q Q S S D

A fé é boa em qualquer situação.

20
Outubro
S T Q Q S S D

O melhor palpite, às vezes, é ficar calado.

21
Outubro
S T Q Q S S D

O mundo da abundância
é o da dignidade pessoal.

22

Outubro
S T Q Q S S D

Nada é em vão. Tudo na vida tem um propósito.

23
Outubro
S T Q Q S S D

O negativismo deixa a gente destruído,
sem vontade. A gente não reage,
não consegue fazer nada.

24

Outubro
S T Q Q S S D

Os desafios vêm pela nossa necessidade de crescimento. Quanto maior o desafio, maior nossa carência de evolução.

25
Outubro
S T Q Q S S D

O objetivo de nossa vida é absorvermos todas as capacidades do nosso espírito e crescermos dentro de nossa sabedoria.

26
Outubro
S T Q Q S S D

O otimismo é uma conquista da fé.

27
Outubro
S T Q Q S S D

O pensamento nobre é um facho de luz na escuridão.

28
Outubro
S T Q Q S S D

A vida guarda a sabedoria do equilíbrio
e nada acontece sem uma razão justa.

29
Outubro
S T Q Q S S D

O prazer de viver aparece quando festejamos
a vida. Vamos comemorar!

30
Outubro
S T Q Q S S D

O presente é o que importa, e é nele que
plantaremos coisas boas para o futuro.

31
Outubro
S T Q Q S S D

NOVEMBRO

O que é bom para o outro pode não ser para você. Encontre seu caminho.

1
Novembro
S T Q Q S S D

O que não é bom não merece ser cultivado.

2
Novembro
S T Q Q S S D

O que une a família espiritual é a amizade.
É o afeto que faz um ajudar o outro.

3

Novembro
S T Q Q S S D

O reconhecimento do amor divino fortalece, acalma e traz a paz.

4
Novembro
S T Q Q S S D

O respeito é uma grande virtude quando advém do amor e da confiança mútuos.

5

Novembro
S T Q Q S S D

O segredo da bondade é o amor.

6
Novembro
S T Q Q S S D

O "sentir" é o que vai levá-lo ao contato com sua alma. É ele que o leva para a realidade dos fatos.

7

Novembro
S T Q Q S S D

Prepare seu dia pensando apenas no bem.
Mesmo que aconteça o que você não espera,
reaja e coloque sua fé.

8
Novembro
S T Q Q S S D

O mentiroso contumaz jamais
confiará em si mesmo.

9

Novembro
S T Q Q S S D

O silêncio pode dizer muito, mas também pode dar margem a muitas interpretações. Depende da cabeça de cada um.

10
Novembro
S T Q Q S S D

O sol nasce para todos, mas ilumina
uma parte do planeta de cada vez.

11
Novembro
S T Q Q S S D

O sorriso é uma força e promove
um bem-estar imenso para a saúde.

12
Novembro
S T Q Q S S D

O tempo cura todas as feridas, mas as cicatrizes precisam de muitas vidas para desaparecer.

13

Novembro
S T Q Q S S D

O tempo está acelerado. A Terra tem um tempo para todo mundo evoluir e para fazer o expurgo.

14
Novembro
S T Q Q S S D

O trabalho é uma força positiva
e traz novos conhecimentos. Você se sente
útil, bem e faz novos amigos.

15
Novembro
S T Q Q S S D

O único obstáculo ao seu progresso é você mesmo.

16
Novembro
S T Q Q S S D

A pessoa só larga o vício quando quer.
Se ela não usar a própria força para sair dele,
nada pode ser feito.

17

Novembro
S T Q Q S S D

A providência divina cuida de tudo.
Confie na vida, pois ela tem dons.

18
Novembro
S T Q Q S S D

Espere sempre o melhor, porque a vida lhe dará.

19
Novembro
S T Q Q S S D

O universo trabalha a nosso favor.

20
Novembro
S T Q Q S S D

Não tema o novo, pois ele abre o caminho
e traz novas conquistas e oportunidades
de progresso e luz.

21
Novembro
S T Q Q S S D

Ninguém precisa ser diferente para ser querido.
Basta apenas ser o que é.

22
Novembro
S T Q Q S S D

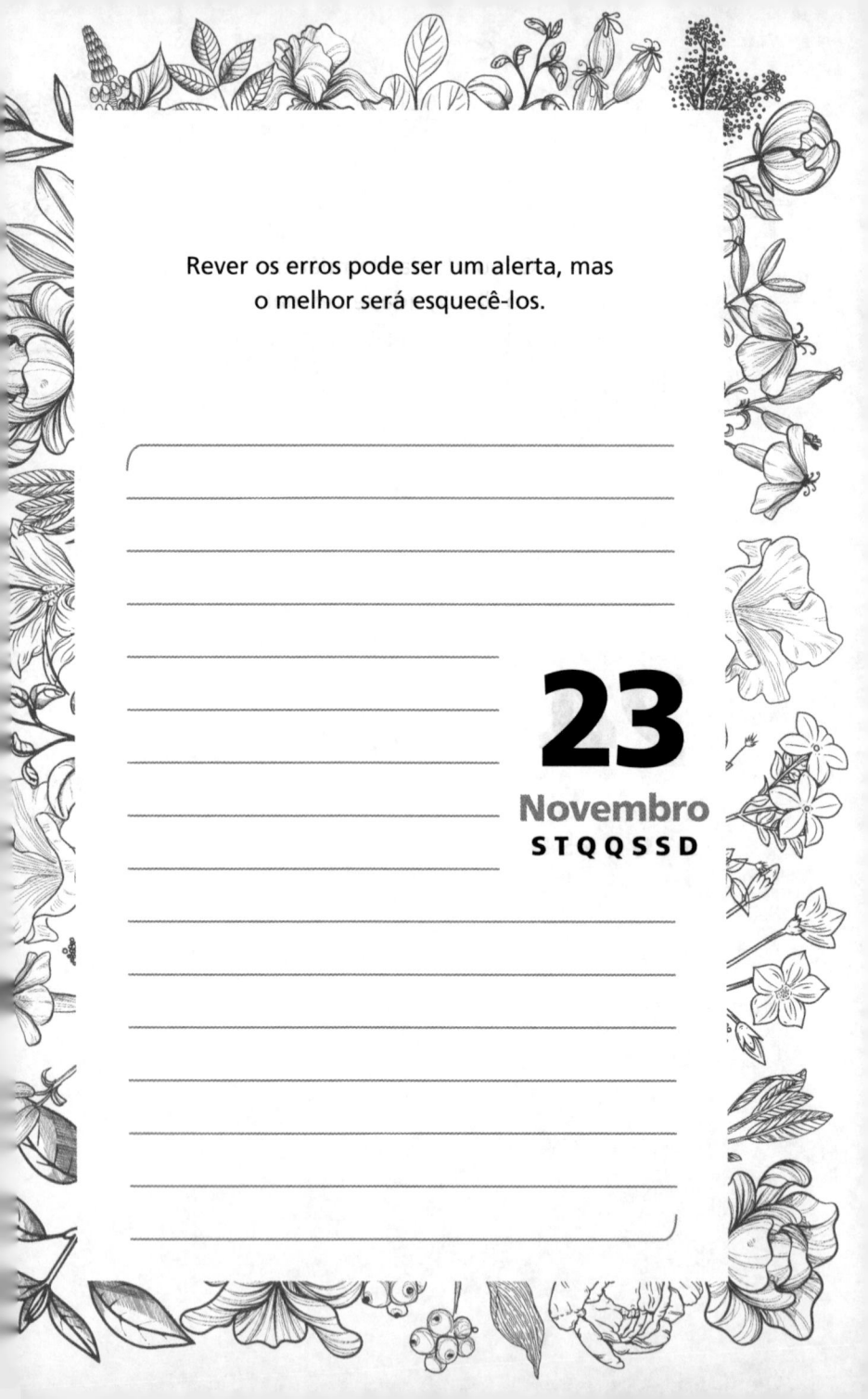

Rever os erros pode ser um alerta, mas o melhor será esquecê-los.

23
Novembro
S T Q Q S S D

O mundo da abundância
é o da dignidade pessoal.

24
Novembro
S T Q Q S S D

A riqueza do tempo está em valorizar o presente. É só o que temos. É o momento da ação. É hora de fazer. Valorizemos nosso momento.

25
Novembro
S T Q Q S S D

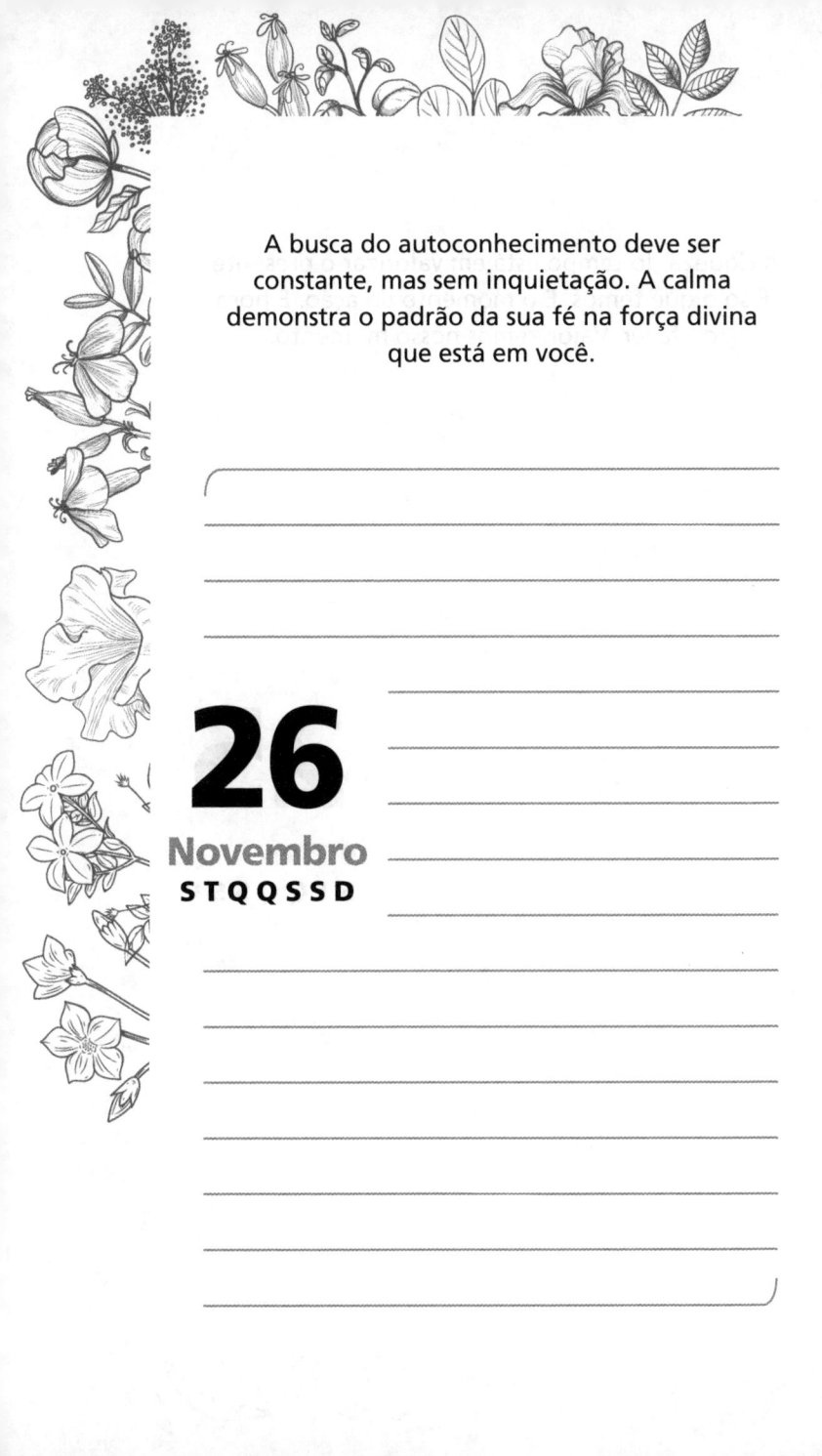

A busca do autoconhecimento deve ser constante, mas sem inquietação. A calma demonstra o padrão da sua fé na força divina que está em você.

26
Novembro
S T Q Q S S D

Ser natural é ser aquilo que você é. A humildade revela-se na espontaneidade, alegria e ausência de maldade.

27
Novembro
S T Q Q S S D

Renovar sempre a inteligência e o discernimento
é imprescindível à conquista da felicidade.

28

Novembro
S T Q Q S S D

Valorizar as coisas boas que você já tem faz com que elas se solidifiquem.

29
Novembro
S T Q Q S S D

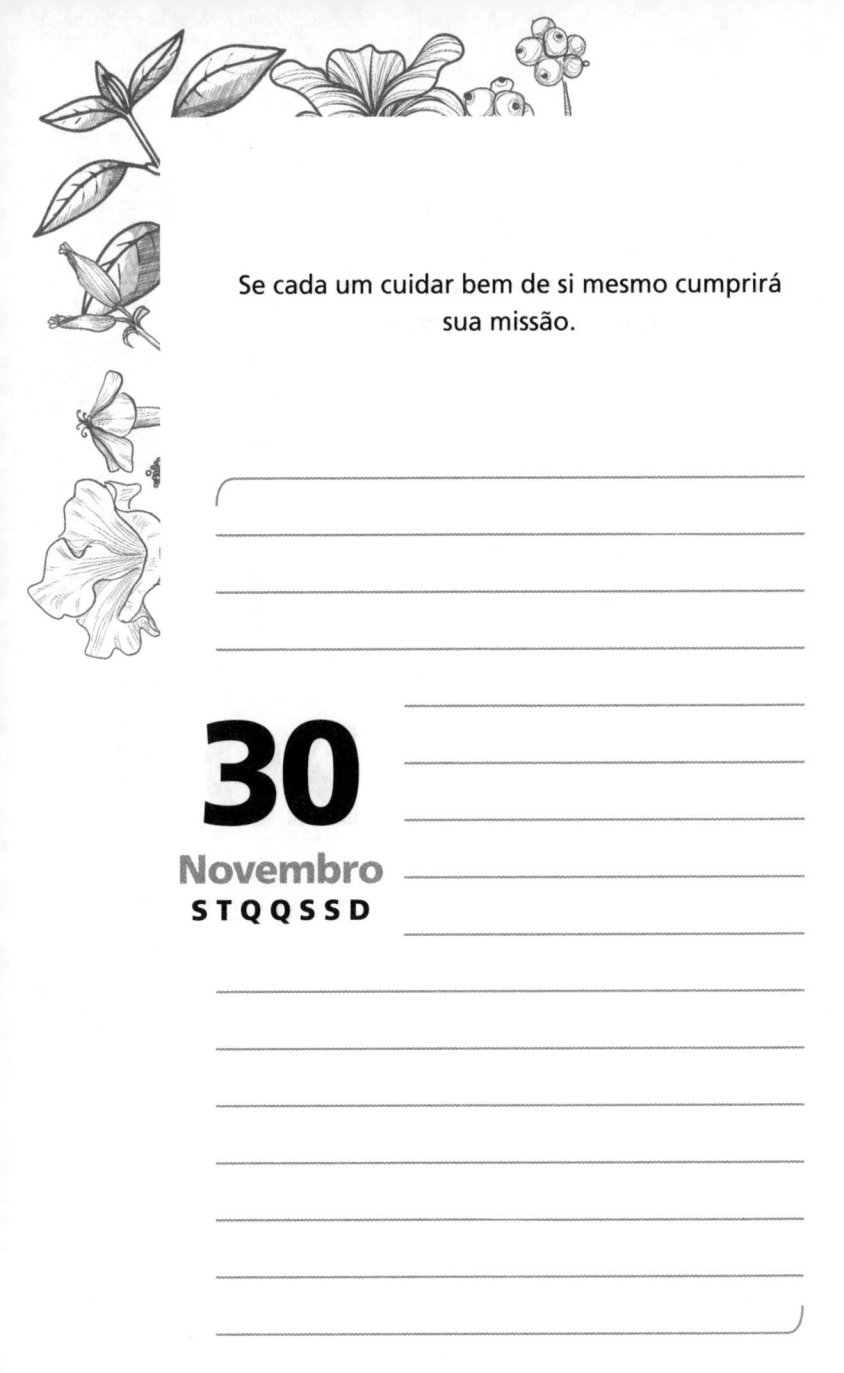

Se cada um cuidar bem de si mesmo cumprirá sua missão.

30
Novembro
S T Q Q S S D

A vida trabalha a favor de nossa evolução.
Deus é generoso e nos criou para a felicidade
e a luz. Esse é o nosso destino fatal. Ninguém
ficará para trás. Você terá um tempo para
reagir, caso contrário, a vida o estimulará por
meio dos desafios do caminho, mas quando
você tiver condições de vencer. Por mais difícil
que pareça uma situação, a solução já está
programada e acontecerá no momento certo,
quando as forças da vida se juntarem.

DEZEMBRO

Valorize seu tempo, porque
na Terra ele é limitado.

1
Dezembro
S T Q Q S S D

Respeite seu espaço e sua individualidade, não permitindo nenhuma invasão.

2
Dezembro
S T Q Q S S D

Tudo funciona melhor com inteligência.

3
Dezembro
S T Q Q S S D

Não espere nada dos outros.

4

Dezembro
S T Q Q S S D

Tudo deslancha fácil quando a vida quer.

5
Dezembro
S T Q Q S S D

Aprenda a ler os sinais da vida,
se deseja ter segurança.

6
Dezembro
S T Q Q S S D

Se cada um cuidar bem de si mesmo, o mundo será melhor.

7

Dezembro
S T Q Q S S D

No universo, há muitas opções. A alma sempre sabe qual é a melhor. Trate de escutá-la.

8
Dezembro
S T Q Q S S D

Enquanto houver alegria,
a saúde estará presente.

9

Dezembro
S T Q Q S S D

Não basta ouvir sua voz interior.
É preciso escutá-la.

10

Dezembro
S T Q Q S S D

Confiar na vida traz paz e revela sabedoria.

11

Dezembro
S T Q Q S S D

Aproveitar o tempo é permanecer no agora.

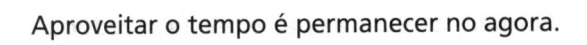

12
Dezembro
S T Q Q S S D

É preciso entender que nossas atitudes atraem os fatos em nossa vida. Somos responsáveis por tudo o que nos acontece.

13
Dezembro
S T Q Q S S D

Não tente entrar no contexto da maioria. Você tem uma trajetória de progresso programada pela vida e precisa encontrar o caminho para as coisas darem certo.

14
Dezembro
S T Q Q S S D

Nosso destino é trabalharmos a favor da vida, contribuindo para a melhoria das pessoas e da sociedade como um todo, nos tornando úteis e nos integrando aos propósitos divinos.

15
Dezembro
S T Q Q S S D

Não dê ouvidos aos pensamentos de dúvida. Eles são frutos das falsas crenças aprendidas que o infelicitam e o impedem de progredir.

16
Dezembro
S T Q Q S S D

O importante é ser feliz, sozinho ou com alguém. É dessa forma que abrirá espaço para o companheiro ideal.

17
Dezembro
S T Q Q S S D

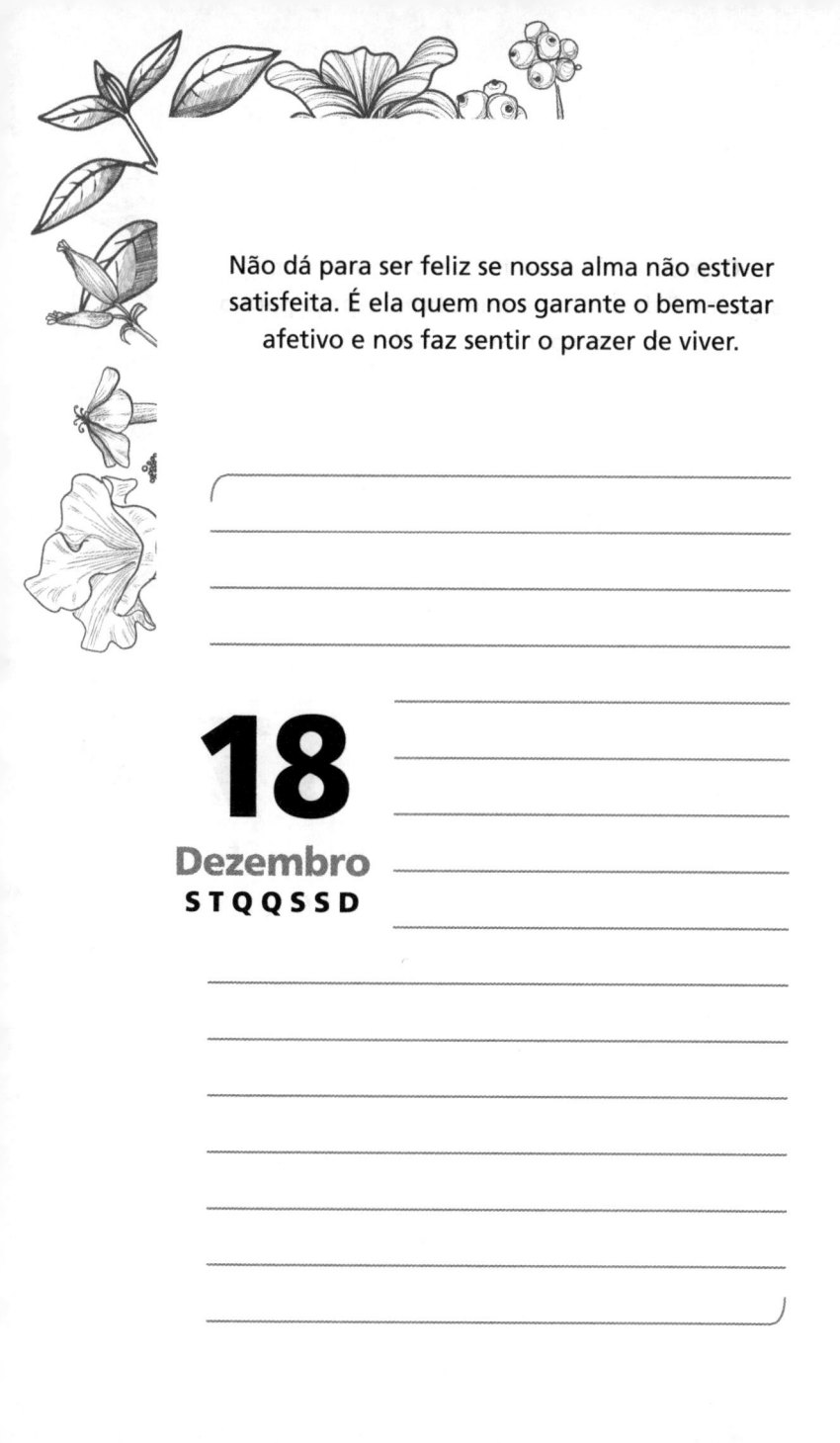

Não dá para ser feliz se nossa alma não estiver satisfeita. É ela quem nos garante o bem-estar afetivo e nos faz sentir o prazer de viver.

18
Dezembro
S T Q Q S S D

O autoconhecimento é a base do progresso. Quando você cria o hábito de analisar seus sentimentos, descobre o que precisa para ser feliz, estabelece um foco prioritário e fundamental para alcançar seus objetivos.

19
Dezembro
S T Q Q S S D

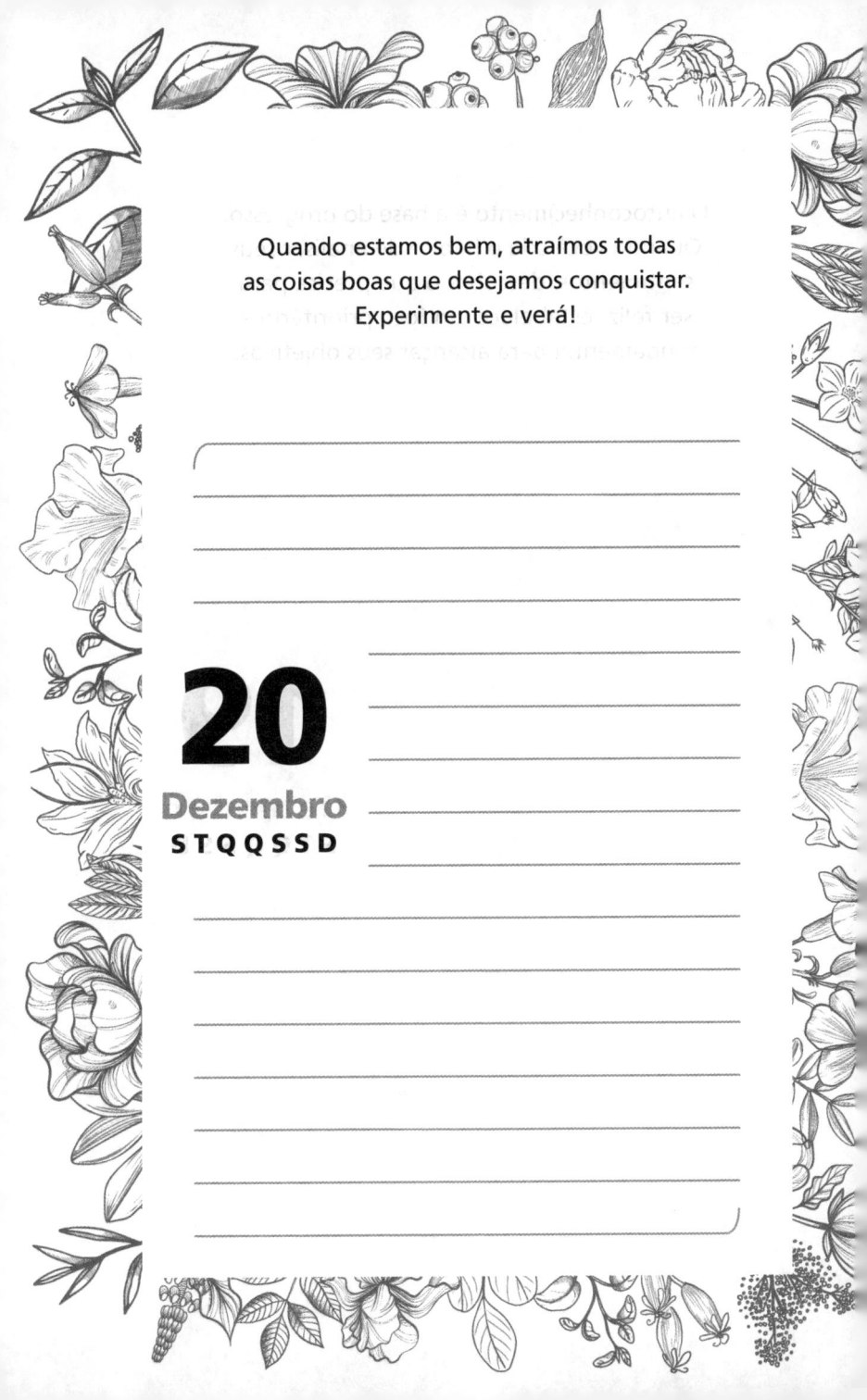

Quando estamos bem, atraímos todas
as coisas boas que desejamos conquistar.
Experimente e verá!

20
Dezembro
S T Q Q S S D

Melhore seu senso de realidade, sentindo seu mundo interior. Ele lhe revelará sua verdadeira vocação e o posicionará no seu verdadeiro lugar.

21
Dezembro
S T Q Q S S D

Lembre-se de que você é um espírito eterno e que dentro de você há um grande potencial, que representa o preço para a conquista de sua paz e felicidade.

22
Dezembro
S T Q Q S S D

A serenidade é uma conquista inteligente que passa pelo nosso esforço de entendermos os valores espirituais, pautados pela elevação do nosso espírito e pelo controle dos nossos pensamentos.

23
Dezembro
S T Q Q S S D

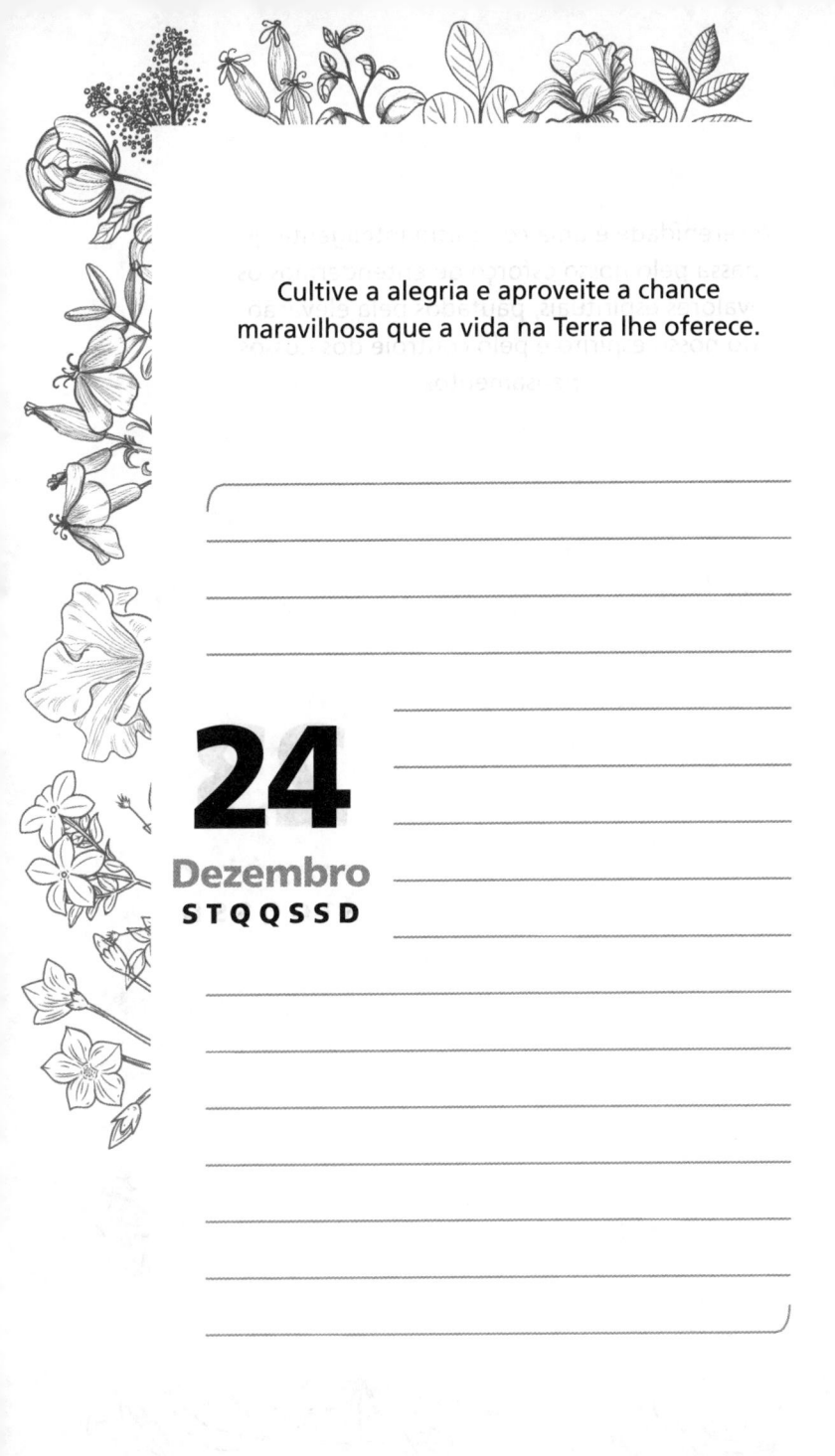

Cultive a alegria e aproveite a chance
maravilhosa que a vida na Terra lhe oferece.

24
Dezembro
S T Q Q S S D

O Natal é a época de celebrar a vida, a união e fortalecer o laço de amor que nos une.

25
Dezembro
S T Q Q S S D

Sabendo que a morte é apenas uma transição,
uma mudança, seus medos perderão
muito de sua força.

26
Dezembro
S T Q Q S S D

Acredite que há uma força superior, amorosa e perfeita comandando o universo. Nós somos Seus filhos amados e estamos aqui para aprender a viver melhor.

27
Dezembro
S T Q Q S S D

Para ser feliz, é preciso confiar na vida,
reconhecer o bem que já temos
e cultivar a alegria.

28
Dezembro
S T Q Q S S D

Prefira ser otimista. Note que os otimistas conquistam todas as coisas boas. Seja um deles. Aproveite todos os momentos bons de sua vida e seja feliz. Você pode!

29

Dezembro
S T Q Q S S D

Abra seu espírito para o conhecimento, ouça seu coração, estude a vida, pois ela tem todas as respostas. Você crescerá e vencerá todos os problemas. Está em suas mãos, você pode!

30
Dezembro
S T Q Q S S D

Não tema. Faça sempre seu melhor, confie na vida e siga em frente com determinação e alegria.

31

Dezembro
S T Q Q S S D

CONTATOS

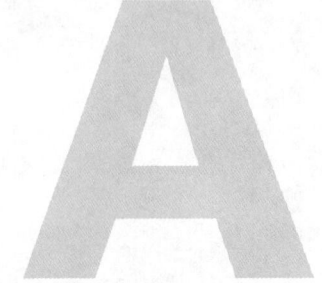

Nome	Telefone/Celular

B

Nome **Telefone/Celular**

Nome	Telefone/Celular

D

Nome   **Telefone/Celular**

E

Nome	Telefone/Celular

F

Nome	Telefone/Celular

Nome	Telefone/Celular

H

Nome **Telefone/Celular**

I

Nome	Telefone/Celular

J

Nome	Telefone/Celular

Nome	Telefone/Celular

L

Nome	Telefone/Celular

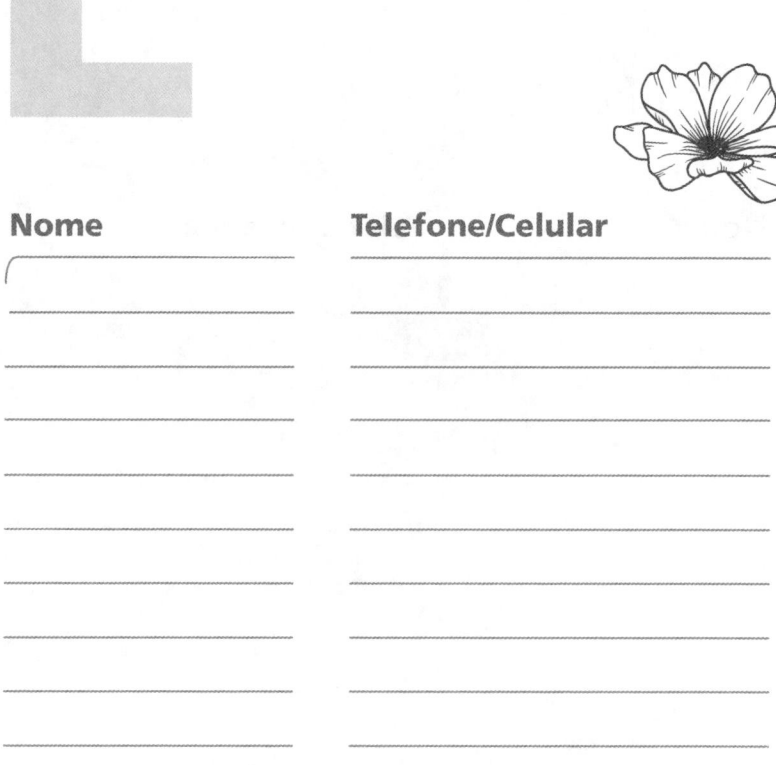

Nome	Telefone/Celular

N

Nome	Telefone/Celular

Nome	Telefone/Celular

P

Nome   **Telefone/Celular**

Nome | **Telefone/Celular**

R

Nome	Telefone/Celular

S

Nome	Telefone/Celular

T

Nome   **Telefone/Celular**

Nome **Telefone/Celular**

V

Nome	Telefone/Celular

Nome	Telefone/Celular

X

Nome	Telefone/Celular

Nome	Telefone/Celular

GRANDES SUCESSOS DE
ZIBIA GASPARETTO

Com 19 milhões de títulos vendidos, a autora tem contribuído para o fortalecimento da literatura espiritualista no mercado editorial e para a popularização da espiritualidade. Conheça os sucessos da escritora.

Romances
pelo espírito Lucius

- A força da vida
- A verdade de cada um
- A vida sabe o que faz
- Ela confiou na vida
- Entre o amor e a guerra
- Esmeralda
- Espinhos do tempo
- Laços eternos
- Nada é por acaso
- Ninguém é de ninguém
- O advogado de Deus
- O amanhã a Deus pertence
- O amor venceu
- O encontro inesperado
- O fio do destino
- O poder da escolha
- O matuto
- O morro das ilusões
- Onde está Teresa?
- Pelas portas do coração
- Quando a vida escolhe
- Quando chega a hora
- Quando é preciso voltar
- Se abrindo pra vida
- Sem medo de viver
- Só o amor consegue
- Somos todos inocentes
- Tudo tem seu preço
- Tudo valeu a pena
- Um amor de verdade
- Vencendo o passado

Crônicas

A hora é agora!
Bate-papo com o Além
Contos do dia a dia
Conversando Contigo!
Pare de sofrer
Pedaços do cotidiano
O mundo em que eu vivo
Voltas que a vida dá
Você sempre ganha!

Coletânea

Eu comigo!
Recados de Zibia Gasparetto
Reflexões diárias

Desenvolvimento pessoal

Em busca de respostas
Grandes frases
O poder da vida
Vá em frente!

Fatos e estudos

Eles continuam entre nós vol. 1
Eles continuam entre nós vol. 2

9786599053646

Rua das Oiticicas, 75 — SP
55 11 2613-4777

contato@vidaeconsciencia.com.br
www.vidaeconsciencia.com.br